Gengangere

Ibsen for et nytt århundre:

Brand
Gengangere
Peer Gynt
Vildanden

Henrik Ibsen

Gengangere

Med etterord av
Tore Rem

GYLDENDAL

Utkommet første gang 1881
I Gyldendal Klassiker 2001
I Gyldendal Klassiker (2. utgave) 2005
2. opplag 2006

Denne utgave © Gyldendal Norsk Forlag AS 2005

Printed in Norway
Trykk/innbinding: AIT Trondheim AS, 2006
Sats: Heien A.s, Oslo 2000
Papir: 65 g Snowbulk (2,3)
Karikatur av Henrik Ibsen: Olaf Gulbransson
© Olaf Gulbransson / BONO 2004
Omslagsdesign: Trond Fasting Egeland

ISBN 82-05-33650-4

GENGANGERE
ET FAMILIEDRAMA I TRE AKTER
(1881)

PERSONENE

FRU HELENE ALVING, kaptein og kammerherre
Alvings enke.
OSVALD ALVING, hennes sønn, maler.
PASTOR MANDERS.
SNEKKER ENGSTRAND.
REGINE ENGSTRAND, i huset hos fru Alving.

*

*(Handlingen foregår på fru Alvings landeiendom
ved en stor fjord i det vestlige Norge.)*

FØRSTE AKT

*(En rommelig havestue med en dør på den venstre sidevegg og to
døre på veggen til høyre. I midten av stuen et rundt bord med
stole omkring; på bordet ligger bøker, tidsskrifter og aviser. I
forgrunnen til venstre et vindu, og ved samme en liten sofa med et
sybord foran. I bakgrunnen fortsettes stuen i et åpent, noe smalere
blomsterværelse, der er lukket utad av glassvegge og store ruter.
På blomsterværelsets sidevegg til høyre er en dør som fører ned
til haven. Gjennem glassveggen skimtes et dystert fjordlandskap,
sløret av en jevn regn.)*

*(Snekker Engstrand står oppe ved havedøren. Hans venstre ben
er noe krumt; under støvlesålen har han en trekloss. Regine, med
en tom blomstersprøyte i hånden, hindrer ham fra å komme
nærmere.)*

REGINE *(med dempet stemme)*. Hva er det du vil? Bli stående der
du står. Det drypper jo av deg.

ENGSTRAND. Det er Vårherres regn, det, barnet mitt.

REGINE. Det er fandens regn, er det.

ENGSTRAND. Jøss' som du snakker, Regine. *(halter et par skritt
frem i stuen.)* Men det var *det* jeg ville si –

REGINE. Klamp ikke så med den foten, menneske! Den unge
herren ligger og sover ovenpå.

ENGSTRAND. Ligger han og sover nu? Midt på lyse dagen?

REGINE. Det kommer ikke deg ved.

ENGSTRAND. Jeg var ute på en rangel i går kveld –

REGINE. Det tror jeg gjerne.

ENGSTRAND. Ja, for vi mennesker er skrøpelige, barnet mitt –

REGINE. Ja, vi er nok det.

ENGSTRAND. – og fristelsene er mangfoldige i denne verden, ser du –; men enda så sto jeg, ja Gu', ved mitt arbeide klokken halv seks i dag tidlig.

REGINE. Ja, ja, kom deg nu bare av sted. Jeg vil ikke stå her og ha rendez-vous'er med deg.

ENGSTRAND. Hva vil du ikke ha for noe?

REGINE. Jeg vil ikke ha at noen skal treffe deg her. Se så; gå så din vei.

ENGSTRAND *(et par skritt nærmere)*. Nei Gu' om jeg går før jeg får snakket med deg. I eftermiddag blir jeg ferdig med arbeidet der nede i skolehuset, og så stryker jeg hjemover til byen med dampbåten i natt.

REGINE *(mumler)*. Lykke på reisen!

ENGSTRAND. Takk for det, barnet mitt. I morgen skal jo asylet innvies, og så blir her venteligvis ståk og styr med berusendes drikke, ser du. Og der skal ingen si på Jakob Engstrand at han ikke kan holde seg unna når fristelsen kommer.

REGINE. Hå!

ENGSTRAND. Ja, for her møter jo så mange fine folk i morgen. Presten Manders er jo også ventendes fra byen.

REGINE. Han kommer alt i dag.

ENGSTRAND. Ja ser du det. Og så vil jeg fan' ikke at han skal få noe å si på meg, skjønner du.

REGINE. Åhå, er det *så* fatt!

ENGSTRAND. Hva for noe er fatt?

REGINE *(ser visst på ham)*. Hva er det nu for noe du vil narre presten Manders til igjen?

ENGSTRAND. Hyss, hyss; er du gælen? Vil *jeg* narre presten Manders til noe? Å nei, presten Manders er altfor snill en mann imot meg til *det*. Men det var *det* jeg ville snakke med deg om, ser du, at i natt så reiser jeg altså hjem igjen.

REGINE. Reis jo før jo heller for meg.

ENGSTRAND. Ja, men jeg vil ha deg med meg, Regine.

REGINE *(med åpen munn)*. Vil du ha meg –? Hva er det du sier?

ENGSTRAND. Jeg vil ha deg med meg hjem, sier jeg.

REGINE *(hånsk)*. Aldri i evighet får du meg med deg hjem.

ENGSTRAND. Å, det skal vi nok få se.

REGINE. Ja, det kan du være viss på vi skal få se. *Jeg,* som er oppvokst hos kammerherreinne Alving –? *Jeg,* som blir holdt nesten som et barn her –? Skulle *jeg* flytte hjem til *deg?* Til et slikt hus? Fy da!

ENGSTRAND. Hva fan' er det? Setter du deg opp imot din far, tøs?

REGINE *(mumler, uten å se på ham).* Du har titt nok sagt at jeg ikke kom deg ved.

ENGSTRAND. Pytt; hva vil du bry deg om *det* –

REGINE. Har du ikke mangen god gang skjelt og kalt meg for en –? Fi donc!

ENGSTRAND. Nei-Gu' brukte jeg da aldri så stygt et ord likevel.

REGINE. Å, jeg sanser nok hva ord du brukte.

ENGSTRAND. Ja, men det var jo bare når jeg var på en kant – hm. Fristelsene er mangfoldige i denne verden, Regine.

REGINE. Uh!

ENGSTRAND. Og så var det når din mor slo seg vrang. Noe måtte jeg da finne på å erte henne med, barnet mitt. Alltid skulle hun nu være så fin på det. *(hermer.)* «Slipp meg, Engstrand! La meg være! Jeg har tjent tre år hos kammerherre Alvings på Rosenvold, jeg!» *(ler.)* Jøss' bevar's; aldri kunne hun da glemme at kapteinen ble kammerherre mens hun tjente her.

REGINE. Stakkars mor; – henne fikk du da tidsnok pint livet av.

ENGSTRAND *(svinger på seg).* Ja det forstår seg; jeg skal jo ha skylden for all ting.

REGINE *(vender seg bort, halvhøyt).* Uff –! Og så det benet.

ENGSTRAND. Hva sier du, barnet mitt?

REGINE. Pied de mouton.

ENGSTRAND. Er det engelsk, det?

REGINE. Ja.

ENGSTRAND. Ja-ja; lærdom har du fått her ute, og det kan komme godt med nu, det, Regine.

REGINE *(efter en kort taushet).* Og hva var det så du ville med meg i byen?

ENGSTRAND. Kan du spørre om hva en far vil med sitt eneste barn? Er jeg ikke en enslig og forlatt enkemann.

REGINE. Å, kom ikke til meg med slikt sludder. Hvorfor vil du ha meg med der inn?

ENGSTRAND. Jo, jeg skal si deg, jeg har tenkt å slå inn på noe nytt nu.

REGINE *(blåser)*. Det har du prøvet så titt; men like galt ble det.

ENGSTRAND. Ja, men denne gangen skal du bare se, Regine! – Fan' ete meg –

REGINE *(stamper)*. La være å banne!

ENGSTRAND. Hyss, hyss; det har du så evig rett i, barnet mitt. Det var bare *det* jeg ville si, jeg har lagt ikke så lite penge opp for arbeidet ved dette her nye asylet.

REGINE. Har du det? Det er jo godt for deg, det.

ENGSTRAND. For hva skal en vel bruke skillingen til her på landsbygden?

REGINE. Nå, og så?

ENGSTRAND. Jo, ser du, så hadde jeg tenkt å sette de pengene i noe som kunne lønne seg. Det skulle være som en slags bevertning for sjøfolk –

REGINE. Uff da!

ENGSTRAND. En riktig fin bevertning, skjønner du; – ikke slikt noe svineri for matroser. Nei, død og pine, – det skulle være for skibskapteiner og styrmenner og – og riktig fine folk, skjønner du.

REGINE. Og så skulle jeg –?

ENGSTRAND. Du fikk hjelpe til, ja. Bare så for et syns skyld, kan du vel tenke. Du skal fan' ikke få det svært, barnet mitt. Du kan få det rakt som du vil ha det.

REGINE. Ja-vel, ja!

ENGSTRAND. Men fruentimmer må der være i huset, det er greitt som dagen, det. For om kveldene skal vi jo ha det litt morosomt med sang og dans og slikt noe. Du må sanse på det er veifarendes sjømenner på verdens hav. *(nærmere.)* Vær nu ikke dum og stå deg selv i veien, Regine. Hva kan det bli til med deg her ute? Kan det nytte deg til noe at fruen har kostet lærdom på deg? Du skal jo passe ungene på det nye asylet, hører jeg. Er *det* noe for deg, det? Har du slik glupendes lyst til å gå og slite deg helseløs for de skitne ungenes skyld?

REGINE. Nei, gikk det som *jeg* hadde lyst til, så –. Nå, det kan vel komme. Det kan vel komme!

ENGSTRAND. Hva for noe er det som kan komme?

REGINE. Bry deg aldri om det. – Er det mange penge du har lagt deg opp her ute?

ENGSTRAND. I ett og alt kan det vel bli så en syv–åtte hundre kroner.

REGINE. Det er ikke så ille.

ENGSTRAND. Det er nok til å sette seg i vei med, det, barnet mitt.

REGINE. Tenker du ikke på å gi meg noe av de pengene?

ENGSTRAND. Nei Gu' tenker jeg ikke på det, nei.

REGINE. Tenker du ikke på å sende meg så my' som et stakkars kjoletøy en gang?

ENGSTRAND. Kom bare og vær med meg inn til byen, du, så kan du få kjoletøyer nok.

REGINE. Pytt, det kan jeg gjøre på egen hånd hvis jeg har lyst til det.

ENGSTRAND. Nei, ved en fars veiledendes hånd, det er bedre, Regine. Nu kan jeg få et pent hus i Lille Havnegaten. Der skal ikke mange kontanter til; og *der* kunne bli som et slags sjømannshjem, ser du.

REGINE. Men jeg *vil* ikke være hos *deg*! Jeg har ikke noe med deg å bestille. Gå så!

ENGSTRAND. Du ble fan' ikke lenge hos meg, barnet mitt. Det var nok ikke *så* vel. Hvis du forsto å te deg da. Så vakker en tøs som du er blitt på de siste par år –

REGINE. Nå –?

ENGSTRAND. Det ville nok ikke vare lenge før der kom en styr-mann, – ja, kanskje en kaptein –

REGINE. Jeg vil ikke gifte meg med slike noen. Sjømennene har ingen savoir vivre.

ENGSTRAND. Hva har de ikke for noe?

REGINE. Jeg kjenner sjømennene, sier jeg. Det er ikke folk til å gifte seg med.

ENGSTRAND. Så la bli å gifte deg med dem. Det kan lønne seg likevel. *(fortroligere.)* Han – engelskmannen – han med lystkutteren – han ga tre hundre spesiedaler, han; – og hun var ikke vakrere, hun enn du.

REGINE *(imot ham)*. Ut med deg!

ENGSTRAND *(viker)*. Nå, nå; du vil da vel ikke slå, vet jeg.

REGINE. Jo! Snakker du om mor, så slår jeg. Ut med deg, sier jeg! *(driver ham opp mot havedøren.)* Og smell ikke med dørene; den unge herr Alving –

ENGSTRAND. Han sover, ja. Det er svært som du bryr deg om den unge herr Alving – *(saktere.)* Hoho; det skulle da vel aldri være så at *han* –?

REGINE. Ut, og det fort! Du er ør, menneske! Nei, gå ikke den veien. Der kommer pastor Manders. Nedover kjøkkentrappen med deg.

ENGSTRAND *(mot høyre)*. Ja ja, jeg skal så gjøre. Men snakk så med *ham* som *der* kommer. *Han* er mann for å si deg hva et barn skylder sin far. For jeg er nu din far likevel, ser du. Det kan jeg bevise av kirkeboken. *(han går ut gjennem den annen dør, som Regine har åpnet og igjen lukker etter ham.)*

REGINE *(ser seg hastig i speilet, vifter seg med lommetørklet og retter på sitt kravebånd; derpå gir hun seg i ferd med blomstene).*

(Pastor Manders, i overfrakke og med paraply, samt med en liten reisetaske i en rem over skulderen, kommer gjennem havedøren inn i blomsterværelset.)

PASTOR MANDERS. God dag, jomfru Engstrand.

REGINE *(vender seg glad overrasket)*. Nei se, god dag, herr pastor! Er dampskibet alt kommet?

PASTOR MANDERS. Det kom nu nettopp. *(går inn i havestuen.)* Det er dog et fortredelig regnvær vi har nu om dagene.

REGINE *(følger ham)*. Det er et så velsignet vær for landmannen, herr pastor.

PASTOR MANDERS. Ja, det har De visst rett i. Det tenker vi byfolk så lite på. *(han begynner å dra overfrakken av.)*

REGINE. Å, må ikke jeg hjelpe? – Se så. Nei, hvor våt den er! Nu skal jeg bare henge den opp i forstuen. Og så paraplyen –; den skal jeg slå opp, så den kan bli tørr.

*(Hun går ut med sakene gjennem den annen dør til høyre. Pastor
Manders tar reisetasken av og legger den og hatten på en stol.
Imidlertid kommer Regine inn igjen.)*

PASTOR MANDERS. Ah, det gjorde riktig godt å komme i hus.
Nå, her står dog all ting vel til på gården?

REGINE. Jo, mange takk.

PASTOR MANDERS. Men dyktig travelt, kan jeg tenke, i anled-
ning av i morgen?

REGINE. Å ja, her er jo en del å gjøre.

PASTOR MANDERS. Og fru Alving er forhåpentlig hjemme?

REGINE. Ja kors; hun er bare ovenpå og passer sjokoladen til den
unge herren.

PASTOR MANDERS. Ja si meg –; jeg hørte nede ved stoppestedet
at Osvald skal være kommet.

REGINE. Ja, han kom i forgårs. Vi hadde ikke ventet ham før
som i dag.

PASTOR MANDERS. Og frisk og rask, vil jeg håpe?

REGINE. Jo takk, det er han nok. Men gruelig trett efter reisen.
Han har faret i *ett* kjør like fra Paris –; jeg mener, han har kjørt hele
ruten med ett og samme tren. Jeg tror nok han sover litt nu, så vi må
nok tale en liten bitte smule sakte.

PASTOR MANDERS. Hyss, vi skal være så stille.

REGINE *(idet hun flytter en lenestol til rette ved bordet).* Og så
vær så god og sett Dem, herr pastor, og gjør Dem det makelig. *(han
setter seg; hun flytter en skammel under hans føtter.)* Se så! Sitter
herr pastoren nu godt?

PASTOR MANDERS. Takk, takk; jeg sitter fortreffelig. *(betrakter
henne.)* Hør, vet De hva, jomfru Engstrand, jeg tror tilforlatelig De
er vokset siden jeg så Dem sist.

REGINE. Synes herr pastoren det? Fruen sier at jeg har lagt meg
ut også.

PASTOR MANDERS. Lagt Dem ut? Nå ja, kanskje litt; – så passe-
lig.

(kort opphold.)

REGINE. Skal jeg kanskje si fruen til?

PASTOR MANDERS. Takk, takk, det haster ikke, mitt kjære barn.

– Nå, men si meg nu, min gode Regine, hvorledes går det så Deres far her ute?

REGINE. Jo takk, herr pastor, det går ham nokså bra.

PASTOR MANDERS. Han var innom hos meg da han sist var i byen.

REGINE. Nei, var han det? Han er alltid så glad når han får tale med pastoren.

PASTOR MANDERS. Og De ser da vel flittig ned til ham om dagene?

REGINE. Jeg? Jo, det gjør jeg nok; så titt jeg får stunder så –

PASTOR MANDERS. Deres far er ingen riktig sterk personlighet, jomfru Engstrand. Han trenger så inderlig til en ledende hånd.

REGINE. Å ja, det kan gjerne være, det.

PASTOR MANDERS. Han trenger til å ha noen om seg som han kan holde av, og hvis omdømme han kan legge vekt på. Han erkjente det selv så trohjertig da han sist var oppe hos meg.

REGINE. Ja, han har snakket til meg om noe slikt. Men jeg vet ikke om fru Alving vil være av med meg, – helst nu da vi får det nye asylet å styre med. Og så ville jeg så gruelig nødig fra fru Alving også, for hun har da alltid vært så snill imot meg.

PASTOR MANDERS. Men den datterlige plikt, min gode pike –. Naturligvis måtte vi først innhente Deres frues samtykke.

REGINE. Men jeg vet ikke om det går an for meg, i min alder, å styre huset for en enslig mannsperson.

PASTOR MANDERS. Hva! Men kjære jomfru Engstrand, det er jo Deres egen far her er tale om!

REGINE. Ja, det kan så være, men allikevel –. Ja, hvis det var i et *godt* hus og hos en riktig reell herre –

PASTOR MANDERS. Men, min kjære Regine –

REGINE. – en som jeg kunne nære hengivenhet for og se opp til og være liksom i datters sted –

PASTOR MANDERS. Ja, men mitt kjære gode barn –

REGINE. For så ville jeg nok gjerne inn til byen. Her ute er det svært ensomt, – og herr pastoren vet jo selv hva det vil si å gå ensom i verden. Og det tør jeg nok si at jeg er både flink og villig. Vet ikke herr pastoren noen slik plass for meg?

PASTOR MANDERS. Jeg? Nei, tilforlatelig om jeg det vet.

REGINE. Men kjære, kjære herr pastor, – tenk iallfall på meg dersom at –

PASTOR MANDERS *(reiser seg)*. Jo, det skal jeg nok, jomfru Engstrand.

REGINE. Ja, for hvis jeg –

PASTOR MANDERS. Vil De kanskje være så snill å hente fruen?

REGINE. Nu skal hun komme straks, herr pastor. *(hun går ut til venstre.)*

PASTOR MANDERS *(går et par gange opp og ned i stuen, står en stund i bakgrunnen med hendene på ryggen og ser ut i haven. Derefter kommer han atter i nærheten av bordet, tar en bok og ser på titelbladet, stusser og ser på flere)*: Hm, – ja så!

(Fru Alving kommer inn gjennem døren på venstre side. Hun er fulgt av Regine, som straks går ut gjennem den forreste dør til høyre.)

FRU ALVING *(rekker ham hånden)*. Velkommen, herr pastor.

PASTOR MANDERS. God dag, frue. Her har De meg som jeg lovet.

FRU ALVING. Alltid på klokkeslettet.

PASTOR MANDERS. Men De kan tro det knep for meg å slippe bort. Alle de velsignede kommisjoner og bestyrelser jeg sitter i –

FRU ALVING. Desto snillere var det av Dem at De kom så betids. Nu kan vi få våre forretninger avgjort før vi spiser middag. Men hvor har De Deres koffert?

PASTOR MANDERS *(hurtig)*. Mitt tøy står nede hos landhandleren. Jeg blir der i natt.

FRU ALVING *(undertrykker et smil)*. Er De virkelig ikke å formå til å overnatte hos meg denne gang heller?

PASTOR MANDERS. Nei, nei, frue; ellers så mange takk; jeg blir der nede, som jeg pleier. Det er så bekvemt når jeg skal ombord igjen.

FRU ALVING. Nå, De skal få ha Deres vilje. Men jeg synes da riktignok ellers at vi to gamle mennesker –

PASTOR MANDERS. Å Gud bevares hvor De spøker. Ja, De er naturligvis overstadig glad i dag. Først festdagen i morgen, og så har De jo fått Osvald hjem.

FRU ALVING. Ja tenk Dem, hvilken lykke for meg! Det er nu over to år siden han var hjemme sist. Og så har han lovet å bli hos meg hele vinteren over.

PASTOR MANDERS. Nei, har han det? Det var jo smukt og sønnlig gjort av ham. For det må vel være ganske annerledes tiltrekkende å leve i Rom og Paris, kan jeg tenke meg.

FRU ALVING. Ja, men her hjemme har han sin mor, ser De. Å min kjære velsignede gutt, – han har nok hjerte for sin mor, han!

PASTOR MANDERS. Det ville jo også være altfor sørgelig om adskillelse og syslen med sånne ting som kunst skulle sløve så naturlige følelser.

FRU ALVING. Ja, det må De nok si. Men nei så menn har ikke det noen nød med ham, ikke. Ja, nu skal det riktig more meg å se om De kan kjenne ham igjen. Han kommer ned siden; nu ligger han bare oppe og hviler seg litt på sofaen. – Men sett Dem nu ned, min kjære herr pastor.

PASTOR MANDERS. Takk. Det er Dem altså beleilig –?

FRU ALVING. Ja visst er det så. *(hun setter seg ved bordet.)*

PASTOR MANDERS. Godt; så skal De da se –. *(går hen til stolen hvor reisetasken ligger, tar en pakke papirer opp av den, setter seg på den motsatte side av bordet og søker en ryddig plass for papirene.)* Her har vi nu for det første –. *(avbrytende.)* Si meg, fru Alving, hvorledes kommer de bøker her?*

FRU ALVING. De bøker? Det er bøker som jeg leser i.

PASTOR MANDERS. Leser De den slags skrifter?

FRU ALVING. Ja så menn gjør jeg det.

PASTOR MANDERS. Føler De at De blir bedre eller lykkeligere ved den slags lesning?

FRU ALVING. Jeg synes at jeg blir liksom tryggere.

PASTOR MANDERS. Det var merkelig. Hvorledes det?

FRU ALVING. Jo, jeg får liksom forklaring og bekreftelse på mangt og meget av det jeg selv går og tenker meg. Ja for det er det underlige, pastor Manders, – der er egentlig slett ikke noe nytt i disse bøker; der står ikke annet enn det som de fleste mennesker tenker og tror. Det er bare det at de fleste mennesker ikke gjør seg rede for det eller ikke vil være ved det.

PASTOR MANDERS. Nå du min Gud! Tror De for ramme alvor at de fleste mennesker –?

FRU ALVING. Ja, det tror jeg riktignok.

PASTOR MANDERS. Ja, men dog ikke her i landet vel? Ikke her hos oss?

FRU ALVING. Å jo så menn, her hos oss også.

PASTOR MANDERS. Nå, det må jeg riktignok si –!

FRU ALVING. Men hva har De da forresten egentlig å innvende imot de bøker?

PASTOR MANDERS. Innvende? De tror dog vel ikke at jeg beskjeftiger meg med å granske sånne frembringelser?

FRU ALVING. Det vil si De kjenner slett ikke hva De fordømmer?

PASTOR MANDERS. Jeg har lest tilstrekkelig *om* disse skrifter for å misbillige dem.

FRU ALVING. Ja, men Deres egen mening –

PASTOR MANDERS. Kjære frue, der er mangfoldige tilfelle i livet da man må forlate seg på andre. Det er nu en gang således her i verden; og det er godt. Hvorledes skulle det ellers gå med samfunnene?

FRU ALVING. Nei-nei; De kan ha rett i det.

PASTOR MANDERS. Forresten benekter jeg naturligvis ikke at der kan være adskillig tiltrekkende ved desslike skrifter. Og jeg kan jo heller ikke fortenke Dem i at De ønsker å gjøre Dem bekjent med de åndelige strømninger som efter sigende foregår ute i den store verden, – hvor De jo har latt Deres sønn ferdes så lenge. Men –

FRU ALVING. Men –?

PASTOR MANDERS *(senker stemmen)*. Men man taler ikke om det, fru Alving. Man behøver dog virkelig ikke å gjøre alle og enhver regnskap for hva man leser, og hva man tenker innenfor sine fire vegge.

FRU ALVING. Nei, naturligvis; det mener jeg også.

PASTOR MANDERS. Tenk nu bare hvilke hensyn De skylder dette asyl som De besluttet å opprette på en tid da Deres meninger om de åndelige ting var såre avvikende fra nu; – så vidt *jeg* kan skjønne da.

FRU ALVING. Ja, ja, det innrømmer jeg fullkommen. Men det var om asylet –

PASTOR MANDERS. Det var om asylet vi skulle tale, ja. – Altså – forsiktighet, kjære frue! Og nu går vi da over til våre forretninger. *(åpner omslaget og tar en del papirer ut.)* Ser De disse her?

FRU ALVING. Dokumentene?

PASTOR MANDERS. Alle sammen. Og i full stand. De kan tro det har holdt hårdt å få dem i rette tid. Jeg har formelig måttet presse på. Autoritetene er jo nesten pinlig samvittighetsfulle når det gjelder avgjørelser. Men her har vi dem altså. *(blar i bunken.)* Se her er tinglest skjøte på gårdparten Solvik, under herregården Rosenvold, med påstående nyoppførte husebygninger, skolelokale, lærerbolig og kapell. Og her er approbasjonen på legatet og på statuttene for stiftelsen. Vil De se – *(leser:)* Statutter for børnehjemmet «Kaptein Alvings minne».

FRU ALVING *(ser lenge på papiret)*. Der er det altså.

PASTOR MANDERS. Jeg har valgt betegnelsen kaptein og ikke kammerherre. Kaptein ser mer bramfritt ut.

FRU ALVING. Ja ja, ganske som De synes.

PASTOR MANDERS. Og her har De sparebankboken over den rentebærende kapital som er avsatt for å dekke asylets driftsomkostninger.

FRU ALVING. Takk; men vær så snill å beholde den for bekvemhets skyld.

PASTOR MANDERS. Meget gjerne. Jeg tenker vi lar pengene bli stående i sparebanken for det første. Rentefoten er jo ikke meget tillokkende; fire prosent på seks måneders oppsigelse. Hvis man senere kunne komme over en god panteobligasjon, – det måtte naturligvis være første prioritet og et papir av utvilsom sikkerhet, – så kunne vi jo nærmere tales ved.

FRU ALVING. Ja ja, kjære pastor Manders, alt det skjønner De best.

PASTOR MANDERS. Jeg skal iallfall ha øynene med meg. – Men så er der en ting til som jeg flere gange har tenkt å spørre Dem om.

FRU ALVING. Og hva er det for noe?

PASTOR MANDERS. Skal asylbygningene assureres eller ikke?

FRU ALVING. Ja naturligvis må de assureres.

PASTOR MANDERS. Ja, stopp litt, frue. La oss se noe nærmere på saken.

FRU ALVING. Jeg holder all ting assurert, både bygninger og løsøre og avling og besetning.

PASTOR MANDERS. Selvfølgelig. På Deres egne eiendomme. Det samme gjør jeg også, – naturligvis. Men her, ser De, er det en ganske annen sak. Asylet skal jo dog liksom helliges til en høyere livsoppgave.

FRU ALVING. Ja men fordi om –

PASTOR MANDERS. For mitt eget personlige vedkommende ville jeg sandeligen ikke finne det ringeste anstøtelig i å sikre oss imot alle muligheter –

FRU ALVING. Nei, det synes riktignok jeg også.

PASTOR MANDERS. – men hvorledes har det seg med stemningen hos folket her ute omkring? Den kjenner jo De bedre enn jeg.

FRU ALVING. Hm, stemningen –

PASTOR MANDERS. Er her noe betraktelig antall av meningsberettigede, – av virkelig meningsberettigede som kunne ta anstøt av det?

FRU ALVING. Ja, hva forstår De egentlig med virkelig meningsberettigede?

PASTOR MANDERS. Nå, jeg tenker nærmest på menn i så vidt uavhengige og innflytelsesrike stillinger at man ikke godt kan unnlate å tillegge deres meninger en viss vekt.

FRU ALVING. Av sånne finnes her adskillige som kanskje nok kunne ta anstøt ifall –

PASTOR MANDERS. Nå, ser De bare! Inne i byen har vi mangfoldige av den slags. Tenk blott på alle min embedsbrors tilhengere! Man kunne virkelig så såre lett komme til å oppfatte det som om hverken De eller jeg hadde den rette tillit til en høyere styrelse.

FRU ALVING. Men for Deres vedkommende, kjære herr pastor, vet De da iallfall med Dem selv at –

PASTOR MANDERS. Ja jeg vet; jeg vet; – jeg har min gode bevissthet, det er sant nok. Men vi ville allikevel ikke kunne hindre en vrang og ufordelaktig utlegning. Og en sånn kunne igjen lettelig komme til å øve en hemmende innflytelse på selve asylgjerningen.

FRU ALVING. Ja, skulle *det* bli tilfellet, så –

PASTOR MANDERS. Jeg kan heller ikke ganske bortse fra den

vanskelige, – ja, jeg kan gjerne si pinlige stilling *jeg* muligens ville komme i. I byens ledende kretse beskjeftiger man seg meget med denne asylsak. Asylet er jo delvis opprettet til gavn for byen også, og forhåpentlig vil det i en ikke ubetraktelig grad komme til å lette våre kommunale fattigbyrder. Men da nu jeg har vært Deres rådgiver og har styrt det forretningsmessige ved saken, så må jeg befrykte at de nidkjære først og fremst ville kaste seg over *meg* –

FRU ALVING. Ja, det bør De ikke utsette Dem for.

PASTOR MANDERS. Ikke å tale om de angrep der utvilsomt ville bli rettet imot meg i visse blade og tidsskrifter, som –

FRU ALVING. Nok, kjære pastor Manders; det hensyn er aldeles avgjørende.

PASTOR MANDERS. De vil altså ikke at der skal assureres?

FRU ALVING. Nei; vi lar det være.

PASTOR MANDERS *(lener seg tilbake i stolen)*. Men *hvis* nu ulykken en gang var ute? En kan jo aldri vite –. Ville De så kunne opprette skaden igjen?

FRU ALVING. Nei, det sier jeg Dem rent ut, det ville jeg aldeles ikke.

PASTOR MANDERS. Ja men vet De hva, fru Alving, – da er det i grunnen et betenkelig ansvar vi tar på oss.

FRU ALVING. Men synes De da at vi *kan* annet?

PASTOR MANDERS. Nei, det er just tingen; vi *kan* egentlig ikke annet. Vi bør dog ikke utsette oss for et skjevt omdømme; og vi har på ingen måte lov til å vekke forargelse i menigheten.

FRU ALVING. De, som prest, iallfall ikke.

PASTOR MANDERS. Og jeg synes da virkelig også vi må stole på at en sånn anstalt har lykken med seg, – ja, at den står under en særlig beskjermelse.

FRU ALVING. La oss håpe det, pastor Manders.

PASTOR MANDERS. Skal vi altså la det stå til?

FRU ALVING. Ja visst skal vi så.

PASTOR MANDERS. Godt. Som De vil. *(noterer.)* Altså – ikke assurere.

FRU ALVING. Det var ellers underlig at De kom til å tale om dette her nettopp i dag –

PASTOR MANDERS. Jeg har titt tenkt å spørre Dem om det –

FRU ALVING. – for i går hadde vi så nær fått en ildebrann der nede.

PASTOR MANDERS. Hva for noe!

FRU ALVING. Nå, det hadde forresten ingenting på seg. Der var gått ild i noe høvelflis i snekkerverkstedet.

PASTOR MANDERS. Hvor Engstrand arbeider?

FRU ALVING. Ja. Han skal mangen gang være så uforsiktig med fyrstikker, sies der.

PASTOR MANDERS. Han har så mange ting i hodet, den mann, – så mange slags anfektelser. Gud skje lov, han beflitter seg jo nu på å føre et ulastelig levnet, hører jeg.

FRU ALVING. Så? Hvem sier det?

PASTOR MANDERS. Det har han selv forsikret meg. Og en flink arbeider er han jo også.

FRU ALVING. Å ja, så lenge han er edru –

PASTOR MANDERS. Ja, den sørgelige svakhet! Men han er mangen gang nødt til det for sitt dårlige bens skyld, sier han. Siste gang han var i byen, ble jeg virkelig rørt over ham. Han kom opp til meg og takket meg så inderlig fordi jeg hadde skaffet ham arbeide her, så han kunne få være sammen med Regine.

FRU ALVING. Henne ser han nok ikke meget til.

PASTOR MANDERS. Jo, han taler med henne hver dag, det satt han selv og fortalte meg.

FRU ALVING. Ja ja, kan være.

PASTOR MANDERS. Han føler så godt at han trenger til noen som kan holde ham tilbake når fristelsen nærmer seg. *Det* er det elskelige ved Jakob Engstrand, dette, at han kommer så rent hjelpeløs til en og anklager seg selv og bekjenner sin skrøpelighet. Sist han var oppe og talte med meg –. Hør, fru Alving, hvis det skulle være ham en hjertets fornødenhet å få Regine hjem til seg igjen –

FRU ALVING *(reiser seg hurtig)*. Regine!

PASTOR MANDERS. – så må De ikke sette Dem imot det.

FRU ALVING. Jo, det setter jeg meg riktignok imot. Og dessuten, – Regine skal jo ha en stilling ved asylet.

PASTOR MANDERS. Men betenk, han er dog hennes far –

FRU ALVING. Å, jeg vet best hva slags far han har vært for henne. Nei, til ham skal hun aldri komme med min gode hjelp.

PASTOR MANDERS *(reiser seg)*. Men kjære frue, ta det ikke så heftig. Det er så sørgelig hvorledes De miskjenner snekker Engstrand. Det er jo som om De ble rent forskrekket –

FRU ALVING *(stillere)*. Det kan være det samme. Jeg har tatt Regine til meg, og hos meg blir hun. *(lytter.)* Hyss, kjære pastor Manders, tal ikke mer om dette her. *(Gleden lyser opp i henne.)* Hør! Der kommer Osvald i trappen. Nu vil vi bare tenke på *ham*.

(Osvald Alving, i en lett overfrakke, med hatt i hånden og røkende av en stor merskumspipe, kommer inn gjennem døren til venstre.)

OSVALD *(blir stående ved døren)*. Å om forlatelse – jeg trodde man satt i kontoret. *(kommer nærmere.)* God dag, herr pastor.

PASTOR MANDERS *(stirrende)*. Ah –! Det var da merkverdig –

FRU ALVING. Ja, hva sier De om ham *der*, pastor Manders.

PASTOR MANDERS. Jeg sier, – jeg sier –. Nei, men er det da virkelig –?

OSVALD. Jo, det er virkelig den forlorne sønn, herr pastor.

PASTOR MANDERS. Men min kjære unge venn –

OSVALD. Nå, den hjemkomne sønn da.

FRU ALVING. Osvald tenker på den gang De hadde så meget imot at han ble maler.

PASTOR MANDERS. For menneskelige øyne kan jo mangt et skritt se betenkelig ut som siden allikevel –. *(ryster hans hånd.)* Nå, velkommen, velkommen! Nei, min kjære Osvald –. Ja, jeg må da nok få kalle Dem ved fornavn?

OSVALD. Ja, hva skulle De ellers kalle meg?

PASTOR MANDERS. Godt. Det var *det* jeg ville si, min kjære Osvald, – De må ikke tro om meg at jeg ubetinget fordømmer kunstnerstanden. Jeg antar der er mange som kan bevare sitt indre menneske ufordervet i den stand også.

OSVALD. Vi bør håpe det.

FRU ALVING *(strålende fornøyet)*. Jeg vet en som har bevaret både sitt indre og sitt ytre menneske ufordervet. Se bare på ham, pastor Manders.

OSVALD *(driver oppover gulvet)*. Ja ja, kjære mor, la nu det være.

PASTOR MANDERS. Nå tilforlatelig – det kan ikke nektes. Og så har De jo alt begynt å få et navn. Avisene har jo ofte talt om Dem, og det så overmåte gunstig. Ja, det vil si – i den senere tid synes jeg det har vært liksom litt stille.

OSVALD *(oppe ved blomstene)*. Jeg har ikke fått male så meget på det siste.

FRU ALVING. En maler må jo også hvile seg imellem.

PASTOR MANDERS. Jeg kan tenke meg det. Og så forbereder man seg og samler krefter til noe stort.

OSVALD. Ja. – Mor, skal vi snart spise?

FRU ALVING. Om en liten halv time. Matlyst har han da, Gud skje lov.

PASTOR MANDERS. Og smak for tobakk også.

OSVALD. Jeg fant fars pipe oppe på kammeret og så –

PASTOR MANDERS. Aha, der har vi det altså!

FRU ALVING. Hvilket?

PASTOR MANDERS. Da Osvald kom der i døren med pipen i munnen, var det som jeg så hans far lyslevende.

OSVALD. Nei virkelig?

FRU ALVING. Å, hvor kan De dog si det! Osvald slekter jo meg på.

PASTOR MANDERS. Ja; men der er et drag ved munnvikene, noe ved lebene som minner så grangivelig om Alving – iallfall nu han røker.

FRU ALVING. Aldeles ikke. Osvald har snarere noe prestelig ved munnen, synes jeg.

PASTOR MANDERS. Å ja, å ja; adskillige av mine embedsbrødre har et lignende drag.

FRU ALVING. Men sett pipen fra deg, min kjære gutt; jeg vil ikke ha røk her inne.

OSVALD *(gjør så)*. Gjerne. Jeg ville bare prøve den; for jeg har en gang røkt av den som barn.

FRU ALVING. Du?

OSVALD. Ja. Jeg var ganske liten den gang. Og så husker jeg jeg kom opp på kammeret til far en aften han var så glad og lystig.

FRU ALVING. Å, du husker ingenting fra de år.

OSVALD. Jo, jeg husker tydelig han tok og satte meg på kneet og lot meg røke av pipen. Røk, gutt, sa han, – røk dyktig, gutt! Og jeg røkte alt hva jeg vant, til jeg kjente jeg ble ganske blek, og svetten brøt ut i store dråper på pannen. Da lo han så hjertelig godt –

PASTOR MANDERS. Det var da høyst besynderlig.

FRU ALVING. Kjære, det er bare noe Osvald har drømt.

OSVALD. Nei, mor, jeg har aldeles ikke drømt det. For – kan du ikke huske *det* – så kom du inn og bar meg ut i barnekammeret. Der fikk jeg ondt, og jeg så, at du gråt. – Gjorde far ofte slike spillopper?

PASTOR MANDERS. I sin ungdom var han en særdeles livsglad mann –

OSVALD. Og fikk enda utrettet så meget her i verden. Så meget godt og nyttig; ikke eldre enn han ble.

PASTOR MANDERS. Ja, De har i sannhet tatt en virksom og verdig manns navn i arv, min kjære Osvald Alving. Nå, det vil forhåpentlig være Dem en spore –

OSVALD. Det burde så være, ja.

PASTOR MANDERS. Det var iallfall smukt av Dem at De kom hjem til hans hedersdag.

OSVALD. Mindre kunne jeg da ikke gjøre for far.

FRU ALVING. Og at jeg får beholde ham så lenge; – det er nu det aller smukkeste av ham.

PASTOR MANDERS. Ja, De blir jo hjemme vinteren over, hører jeg.

OSVALD. Jeg blir hjemme på ubestemt tid, herr pastor. – Å, det er dog deilig å være kommet hjem!

FRU ALVING *(strålende)*. Ja, ikke sant, du?

PASTOR MANDERS *(ser deltagende på ham)*. De kom tidlig ut i verden, min kjære Osvald.

OSVALD. Jeg gjorde det. Undertiden tenker jeg om det ikke var *for* tidlig.

FRU ALVING. Å slett ikke. Det har en rask gutt nettopp godt av. Og især en som er eneste barn. Slik en skal ikke gå hjemme hos mor og far og bli forkjælet.

PASTOR MANDERS. Det er et såre omtvistelig spørsmål, fru Alving. Fedrenehjemmet er og blir dog barnets rette tilholdssted.

OSVALD. Det må jeg riktignok være enig med pastoren i.

PASTOR MANDERS. Se nu bare til Deres egen sønn. Ja, vi kan jo godt tale om det i hans nærværelse. Hva har følgen vært for ham? Han er blitt seks–syv og tyve år gammel og har aldri fått anledning til å lære et ordentlig hjem å kjenne.

OSVALD. Om forlatelse, herr pastor, – der tar De aldeles feil.

PASTOR MANDERS. Så? Jeg trodde De hadde ferdes så godt som utelukkende i kunstnerkretsene.

OSVALD. Det har jeg også.

PASTOR MANDERS. Og mest iblant de yngre kunstnere.

OSVALD. Å ja vel.

PASTOR MANDERS. Men jeg trodde de fleste av de folk ikke hadde råd til å stifte familie og grunnlegge et hjem.

OSVALD. Der er adskillige av dem som ikke har råd til å gifte seg, herr pastor.

PASTOR MANDERS. Ja, det er jo *det* jeg sier.

OSVALD. Men de kan jo derfor ha et hjem. Og det *har* også en og annen; og det et meget ordentlig og et meget hyggelig hjem.

FRU ALVING *(følger spent med, nikker, men sier intet).*

PASTOR MANDERS. Men det er jo ikke ungkarshjem jeg taler om. Ved et hjem forstår jeg et familiehjem, hvor en mann lever med sin hustru og sine børn.

OSVALD. Ja; eller med sine børn og med sine børns mor.

PASTOR MANDERS *(stusser; slår hendene sammen).* Men du for-barmende –!

OSVALD. Nå?

PASTOR MANDERS. Lever sammen med – sine børns mor!

OSVALD. Ja, ville De da heller han skulle forstøte sine børns mor?

PASTOR MANDERS. Det er altså om ulovlige forhold De taler! Om disse såkalte ville ekteskaper!

OSVALD. Jeg har aldri merket noe særlig vilt ved de folks samliv.

PASTOR MANDERS. Men hvor er det mulig at en – en blott noen-lunde vel oppdratt mann eller ung kvinne kan bekvemme seg til å leve på den måte – like for almenhetens øyne.

OSVALD. Men hva skal de da gjøre? En fattig ung kunstner, – en fattig ung pike –. Det koster mange penge å gifte seg. Hva skal de så gjøre?

PASTOR MANDERS. Hva de skal gjøre? Jo, herr Alving, jeg skal si Dem hva de skal gjøre. De skulle holdt seg fra hinannen fra først av, – skulle de!

OSVALD. Den tale kommer De ikke langt med hos unge, varmblodige, forelskede mennesker.

FRU ALVING. Nei, den kommer De ikke langt med!

PASTOR MANDERS *(vedblivende)*. Og så at autoritetene tåler sånt noe! At det får lov til å skje åpenlyst! *(foran fru Alving)*. Hadde jeg så ikke årsak til å være inderlig bekymret for Deres sønn. I kretse hvor den utilhyllede usedelighet går i svang og liksom har fått hevd –

OSVALD. Jeg vil si Dem noe, herr pastor. Jeg har vært en stadig søndagsgjest i et par slike uregelmessige hjem –

PASTOR MANDERS. Og det om søndagene!

OSVALD. Ja, da skal man jo more seg. Men aldri har jeg der hørt et anstøtelig ord, og ennu mindre har jeg vært vidne til noe som kunne kalles usedelig. Nei; vet De når og hvor *jeg* har truffet usedeligheten i kunstnerkretsene?

PASTOR MANDERS. Nei, Gud være lovet!

OSVALD. Nå, da skal jeg tillate meg å si det. Jeg har truffet den når en og annen av våre mønstergyldige ektemenn og familiefedre kom der ned for å se seg om en smule på egen hånd – og så gjorde kunstnerne den ære å oppsøke dem i deres tarvelige kneiper. Da kunne vi få vite beskjed. De herrer visste å fortelle oss både om steder og om ting som vi aldri hadde drømt om.

PASTOR MANDERS. Hva? Vil De påstå at hederlige menn her hjemmefra skulle –?

OSVALD. Har De aldri, når desslike hederlige menn kom hjem igjen, har De aldri hørt dem uttale seg om den overhåndtagende usedelighet utenlands?

PASTOR MANDERS. Jo, naturligvis –

FRU ALVING. Det har jeg også hørt.

OSVALD. Ja, man kan trygt tro dem på ordet. Der er sakkyndige folk iblant. *(griper seg om hodet.)* Å – at det skjønne, herlige frihetsliv der ute, – at det skal således tilsøles.

FRU ALVING. Du må ikke forivre deg, Osvald; du har ikke godt av det.

OSVALD. Nei, du har rett i det, mor. Det er nok ikke sunt for meg. Det er den fordømte trettheten, ser du. Ja, nu går jeg en liten tur før bordet. Unnskyld, herr pastor; De kan ikke sette Dem inn i det; men det kom således over meg. *(han går ut gjennem den annen dør til høyre.)*

FRU ALVING. Min stakkars gutt –!

PASTOR MANDERS. Ja, det må De nok si. Så vidt er det altså kommet med ham!

FRU ALVING *(ser på ham og tier)*.

PASTOR MANDERS *(går opp og ned)*. Han kalte seg den forlorne sønn. Ja, dessverre, – dessverre!

FRU ALVING *(ser fremdeles på ham)*.

PASTOR MANDERS. Og hva sier De til alt dette?

FRU ALVING. Jeg sier at Osvald hadde rett i hvert eneste ord.

PASTOR MANDERS *(stanser)*. Rett? Rett! I sånne grunnsetninger!

FRU ALVING. Her i min ensomhet er jeg kommet til å tenke likedan, herr pastor. Men jeg har aldri dristet meg til å røre ved det. Nu, godt og vel; min gutt skal tale for meg.

PASTOR MANDERS. De er en beklagelsesverdig kvinne, fru Alving. Men nu vil jeg tale et alvorsord til Dem. Nu er det ikke lenger Deres forretningsfører og rådgiver, ikke Deres og Deres avdøde manns ungdomsvenn som står for Dem. Det er presten, således, som han sto for Dem i det mest forvillede øyeblikk i Deres liv.

FRU ALVING. Og hva er det presten har å si meg?

PASTOR MANDERS. Jeg vil først ryste opp i Deres erindring, frue. Tidspunktet er vel valgt. I morgen er det tiårsdagen efter Deres manns død; i morgen skal hedersminnet avsløres over den bortgangne; i morgen skal jeg tale til hele den forsamlede skare; – men i dag vil jeg tale til Dem alene.

FRU ALVING. Godt, herr pastor; tal!

PASTOR MANDERS. Minnes De at De efter knapt et års ekteskap sto på avgrunnens ytterste rand? At De forlot Deres hus og hjem, –

at De flyktet fra Deres mann; – ja, fru Alving, flyktet, flyktet, og nektet å vende tilbake til ham, så meget han enn tryglet og ba Dem om det?

FRU ALVING. Har De glemt hvor grenseløs ulykkelig jeg følte meg i dette første år?

PASTOR MANDERS. Det er just den rette opprørsånd å kreve lykken her i livet. Hva rett har vi mennesker til lykken? Nei, vi skal gjøre vår plikt, frue! Og Deres plikt var å holde fast ved den mann som De en gang hadde valgt, og til hvem De var knyttet ved hellige bånd.

FRU ALVING. De vet godt hva slags liv Alving førte i den tid; hvilke utskeielser han gjorde seg skyldig i.

PASTOR MANDERS. Jeg vet såre vel hvilke rykter der gikk om ham; og jeg er den som minst av alle billiger hans vandel i ungdomsårene såfremt ryktene medførte sannhet. Men en hustru er ikke satt til å være sin husbonds dommer. Det hadde vært Deres skyldighet med ydmykt sinn å bære det kors som en høyere vilje hadde eraktet tjenlig for Dem. Men i det sted avkaster De i opprørskhet korset, forlater den snublende, som De skulle ha støttet, går hen og setter Deres gode navn og rykte på spill, og – er nær ved å forspille andres rykte ovenikjøpet.

FRU ALVING. Andres? *En* annens, mener De nok.

PASTOR MANDERS. Det var overmåte hensynsløst av Dem å søke tilflukt hos meg.

FRU ALVING. Hos vår prest? Hos vår husvenn?

PASTOR MANDERS. Mest derfor. – Ja, takk De Deres herre og Gud at jeg besad den fornødne fasthet, – at jeg fikk Dem fra Deres overspente forehavender, og at det ble meg forunt å føre Dem tilbake på pliktens vei og hjem til Deres lovlige husbond.

FRU ALVING. Ja, pastor Manders, *det* var visselig Deres verk.

PASTOR MANDERS. Jeg var kun et ringe redskap i en høyeres hånd. Og hvorledes har ikke det at jeg fikk Dem bøyet inn under plikt og lydighet, hvorledes har ikke det vokset seg stort til velsignelse for alle Deres følgende levedage? Gikk det ikke som jeg forutsa Dem? Vendte ikke Alving sine forvillelser ryggen, således som det sømmer seg en mann? Levet han ikke siden den tid kjærlig og ulastelig med Dem alle sine dage? Ble han ikke en velgjører for

denne egn, og hevet han ikke Dem således opp til seg at De efter-
hånden ble en medarbeider i alle hans foretagender? Og det en dyk-
tig medarbeider; – å, jeg vet det, fru Alving, *den* ros skal jeg gi
Dem. – Men nu kommer jeg til det neste store feiltrinn i Deres liv.

FRU ALVING. Hva vil De si med det?

PASTOR MANDERS. Liksom De engang har fornektet hustruens
plikter, således har De siden fornektet morens.

FRU ALVING. Ah –!

PASTOR MANDERS. De har vært behersket av en uhellsvanger
selvrådighetens ånd alle Deres dage. All Deres trakten har vært
vendt imot det tvangløse og det lovløse. Aldri har De villet tåle noe
bånd på Dem. Alt hva der har besværet Dem i livet, har De hen-
synsløst og samvittighetsløst avkastet, lik en byrde De selv hadde
rådighet over. Det behaget Dem ikke lenger å være hustru, og De
reiste fra Deres mann. Det falt Dem besværlig å være mor, og De
satte Deres barn ut til fremmede.

FRU ALVING. Ja, det er sant; det har jeg gjort.

PASTOR MANDERS. Men derfor er De også blitt en fremmed for
ham.

FRU ALVING. Nei, nei; det *er* jeg ikke!

PASTOR MANDERS. Det *er* De; det *må* De være. Og hvorledes
har De fått ham igjen! Betenk Dem vel, fru Alving. De har forbrutt
meget imot Deres mann; – dette erkjenner De ved å reise ham hint
minne der nede. Erkjenn nu også hva De har forbrutt imot Deres
sønn; det tør ennu være tid til å føre ham tilbake fra forvillelsens
stier. Vend selv om, og oppreis hva der dog måskje ennu kan opp-
reises i ham. Ti *(med hevet pekefinger)* i sannhet, fru Alving, De er
en skyldbetynget mor! – Dette har jeg ansett det for min plikt å
måtte si Dem.

(Taushet.)

FRU ALVING *(langsomt og behersket)*. De har nu talt, herr pastor;
og i morgen skal De tale offentlig til min manns erindring. Jeg skal
ikke tale i morgen. Men nu vil jeg tale litt til Dem, liksom De har
talt til meg.

PASTOR MANDERS. Naturligvis; De vil fremføre unnskyldninger
for Deres ferd –

FRU ALVING. Nei. Jeg vil bare fortelle.

PASTOR MANDERS. Nu –?

FRU ALVING. Alt hva De nyss sa her om meg og min mann og vårt samliv, efterat De, som De kalte det, hadde ført meg tilbake til pliktens vei, – alt det er noe som De jo slett ikke kjenner av egen iakttagelse. Fra det øyeblikk satte De – vår daglige omgangsvenn – ikke mer Deres fot i vårt hus.

PASTOR MANDERS. De og Deres mann flyttet jo fra byen straks efter.

FRU ALVING. Ja; og her ut til oss kom De aldri i min manns leve-tid. Det var forretninger som tvang Dem til å besøke meg da De hadde fått med asylsakene å gjøre.

PASTOR MANDERS (sakte og usikkert). Helene – skal dette være en bebreidelse, så vil jeg be Dem overveie –

FRU ALVING. – de hensyn De skyldte Deres stilling; ja. Og så at jeg var en bortløpen hustru. Man kan aldri være tilbakeholdende nok like overfor slike hensynsløse fruentimmer.

PASTOR MANDERS. Kjære – fru Alving, dette er en så umåtelig overdrivelse –

FRU ALVING. Ja, ja, ja, la det så være. Det er bare *det* jeg ville si, at når De dømmer om mine ekteskapelige forhold, så støtter De Dem sånn uten videre til den alminnelige gjengse mening.

PASTOR MANDERS. Nu ja vel; og hva så?

FRU ALVING. Men nu, Manders, nu vil jeg si Dem sannheten. Jeg har svoret ved meg selv at De en gang skulle få den å vite. De alene!

PASTOR MANDERS. Og hva er da sannheten?

FRU ALVING. Sannheten er det at min mann døde like så rygges-løs som han hadde levet alle sine dage.

PASTOR MANDERS (famler efter en stol). Hva var det De sa?

FRU ALVING. Efter nitten års ekteskap like så ryggesløs, – i sine lyster iallfall, – som han var før De viet oss.

PASTOR MANDERS. Og disse ungdomsvillfarelser, – disse uregel-messigheter, – utskeielser, om De så vil, kaller De ryggesløst levnet!

FRU ALVING. Vår huslæge brukte det uttrykk.

PASTOR MANDERS. Nu forstår jeg Dem ikke.

FRU ALVING. Behøves ikke heller.

PASTOR MANDERS. Det nesten svimler for meg. Hele Deres ekteskap, – hele dette mangeårige samliv med Deres mann skulle ikke være annet enn en overdekket avgrunn!

FRU ALVING. Ikke en smule annet. Nu vet De det.

PASTOR MANDERS. Dette – det finner jeg meg sent til rette i. Jeg kan ikke fatte det! Ikke fastholde det! Men hvorledes var det da mulig at –? Hvorledes har sånt noe kunnet holdes skjult?

FRU ALVING. Det har også vært min uopphørlige kamp dag efter dag. Da vi hadde fått Osvald, syntes jeg det ble liksom noe bedre med Alving. Men det varte ikke lenge. Og nu måtte jeg jo kjempe dobbelt, kjempe på liv og død for at ingen skulle få vite hva mitt barns far var for et menneske. Og så vet De jo hvor hjertevinnende Alving var. Ingen syntes de kunne tro annet enn godt om ham. Han var av de slags folk hvis levnet ikke biter på deres rykte. Men så, Manders, – det skal De også vite, – så kom det avskyeligste av det alt sammen.

PASTOR MANDERS. Avskyeligere enn dette!

FRU ALVING. Jeg hadde båret over med ham, skjønt jeg så godt visste hva der gikk for seg i lønn utenfor huset. Men da så forargelsen kom innenfor våre egne fire vegge –

PASTOR MANDERS. Hva sier De! Her!

FRU ALVING. Ja, her i vårt eget hjem. Der inne *(peker mot den første dør til høyre.)* i spisestuen var det jeg først kom under vær med det. Jeg hadde noe å gjøre der inne, og døren sto på klem. Så hørte jeg vår stuepike kom opp fra haven med vann til blomstene der inne.

PASTOR MANDERS. Nu ja –?

FRU ALVING. Litt efter hørte jeg at Alving kom også. Jeg hørte at han sa noe sakte til henne. Og så hørte jeg – *(med en kort latter.)* Å, det klinger ennu for meg både så sønderrivende og så latterlig; – jeg hørte min egen tjenestepike hviske: Slipp meg, herr kammerherre! La meg være!

PASTOR MANDERS. Hvilken usømmelig lettsindighet av ham! Å, men mer enn en lettsindighet har det ikke vært, fru Alving. Tro meg på det.

FRU ALVING. Jeg fikk snart vite hva jeg skulle tro. Kammerherren fikk sin vilje med piken, – og dette forhold hadde følger, pastor Manders.

PASTOR MANDERS *(som forstenet)*. Og alt det i dette hus! I dette hus!

FRU ALVING. Jeg hadde tålt meget i dette hus. For å holde ham hjemme om aftnene – og om nettene måtte jeg gjøre meg til selskapsbror i hans lønnlige svirelag oppe på kammeret. Der har jeg måttet sitte på tomannshånd med ham, har måttet klinke og drikke med ham, høre på hans utérlige sanseløse snakk, har måttet kjempe nevekampe med ham for å få slept ham i seng –

PASTOR MANDERS *(rystet)*. At De har kunnet bære alt dette.

FRU ALVING. Jeg hadde min lille gutt å bære det for. Men da så den siste forhånelse kom til; da min egen tjenestepike –; da svor jeg ved meg selv: dette skal ha en ende! Og så tok jeg makten i huset – hele makten – både over ham og over alt det øvrige. For nu hadde jeg våpen imot ham, ser De; han torde ikke kny. Den gang var det Osvald ble satt ut. Han gikk da i det syvende år, og begynte å legge merke til og gjøre spørsmål som børn pleier gjøre. Alt dette kunne jeg ikke tåle, Manders. Jeg syntes barnet måtte forgiftes bare ved å ånde i dette tilsølede hjem. Derfor var det jeg satte ham ut. Og nu skjønner De også hvorfor han aldri fikk sette sin fot her hjemme så lenge hans far levet. Der er ingen som vet hva det har kostet meg.

PASTOR MANDERS. De har da i sannhet prøvet livet.

FRU ALVING. Jeg hadde aldri holdt det ut hvis jeg ikke hadde hatt mitt arbeide. Ja, for jeg tør nok si at jeg har arbeidet! Alle disse forøkelser av jordegodset, alle forbedringene, alle de nyttige innretninger som Alving fikk pris og berøm for, – tror De *han* hadde fremferd til slikt? *Han*, som lå hele dagen på sofaen og leste i en gammel statskalender! Nei; nu vil jeg si Dem *det* også: *jeg* var den som drev ham i vei når han hadde sine lysere mellemstunder; *meg* var det som måtte dra hele lasset når han så igjen begynte på sine utskeielser eller falt sammen i jammer og ynkelighet.

PASTOR MANDERS. Og over denne mann er det De reiser et æresminne.

FRU ALVING. Der ser De den onde samvittighets makt.

PASTOR MANDERS. Den onde –? Hva mener De?

FRU ALVING. Det sto meg alltid for at det var umulig annet enn at sannheten måtte komme ut og bli trodd på. Derfor skulle asylet liksom slå alle ryktene ned og rydde all tvil av veien.

PASTOR MANDERS. Da har De visselig ikke forfeilet Deres hensikt, fru Alving.

FRU ALVING. Og så hadde jeg *én* grunn til. Jeg ville ikke at Osvald, min egen gutt, skulle ta noe som helst i arv efter sin far.

PASTOR MANDERS. Det er altså for Alvings formue, at –?

FRU ALVING. Ja. De summer jeg år efter annet har skjenket til dette asyl, utgjør det beløp, – jeg har regnet det nøye ut, – det beløp som i sin tid gjorde løytnant Alving til et godt parti.

PASTOR MANDERS. Jeg forstår Dem –

FRU ALVING. Det var kjøpesummen –. Jeg vil ikke at de penge skal gå over i Osvalds hender. Min sønn skal ha all ting fra meg, skal han.

(Osvald Alving kommer gjennem den annen dør til høyre; hatt og overfrakke har han skilt seg ved utenfor.)

FRU ALVING *(imot ham)*. Er du alt igjen? Min kjære, kjære gutt!

OSVALD. Ja; hva skal man ute i dette evindelige regnvær? Men jeg hører vi skal til bords. Det er prektig!

REGINE *(med en pakke, fra spisestuen)*. Her er kommet en pakke til fruen. *(rekker henne den.)*

FRU ALVING *(med et blikk på pastor Manders)*. Festsangene til i morgen formodentlig.

PASTOR MANDERS. Hm –

REGINE. Og så er der servert.

FRU ALVING. Godt; vi kommer om litt; jeg vil bare – *(begynner å åpne pakken.)*

REGINE *(til Osvald)*. Ønsker herr Alving hvit eller rød portvin?

OSVALD. Begge dele, jomfru Engstrand.

REGINE. Bien –; meget vel, herr Alving. *(hun går inn i spisestuen.)*

OSVALD. Jeg får vel hjelpe med flaskekorkene – *(går likeledes inn i spisestuen, hvis dør glir halvt opp efter ham.)*

FRU ALVING *(som har åpnet pakken)*. Jo, ganske riktig; her har vi festsangene, pastor Manders.

PASTOR MANDERS *(med foldede hender)*. Hvorledes jeg i morgen med freidig sinn skal kunne holde min tale, det –!

FRU ALVING. Å, det finner De nok ut av.

PASTOR MANDERS *(sakte for ikke å høres i spisestuen)*. Ja, forargelse kan vi jo dog ikke vekke.

FRU ALVING *(dempet, men fast)*. Nei. Men *så* er også dette lange stygge komediespill til ende. Fra i overmorgen av skal det være for meg som om den døde aldri hadde levet i dette hus. Her skal ingen annen være enn min gutt og hans mor.

REGINES STEMME *(hvast, men hviskende)*. Osvald da! Er du gal! Slipp meg! –

FRU ALVING *(farer sammen i redsel)*. Ah –!

(Hun stirrer som i villelse mot den halvåpne dør. Osvald høres hoste og nynne der inne. En flaske trekkes opp.)

PASTOR MANDERS *(opprørt)*. Men hva *er* dog dette for noe! Hva *er* det, fru Alving?

FRU ALVING *(hest)*. Gjengangere. Parret fra blomsterværelset – går igjen.

PASTOR MANDERS. Hva sier De! Regine –? Er *hun* –?

FRU ALVING. Ja kom. Ikke et ord –!

(Hun griper pastor Manders om armen og går vaklende henimot spisestuen.)

ANNEN AKT

(Samme stue. Regntåken ligger fremdeles tungt over landskapet.)
(Pastor Manders og fru Alving kommer ut fra spisestuen.)

FRU ALVING *(ennu i døren)*. Velbekomme, herr pastor. *(taler inn i spisestuen.)* Kommer du ikke med, Osvald?

OSVALD *(innenfor)*. Nei takk; jeg tror jeg går litt ut.

FRU ALVING. Ja gjør det; for nu er det en smule oppholdsvær. *(lukker spisestuedøren og går hen til forstuedøren og kaller:)* Regine!

REGINE *(utenfor)*. Ja, frue?

FRU ALVING. Gå ned i strykeværelset og hjelp til med kransene.

REGINE. Ja vel, frue.

FRU ALVING *(forvisser seg om at Regine går; derpå lukker hun døren)*.

PASTOR MANDERS. Han kan dog ikke høre noe der inne?

FRU ALVING. Ikke når døren er lukket. Dessuten så går han jo ut.

PASTOR MANDERS. Jeg er ennu som fortumlet. Jeg begriper ikke hvorledes jeg har kunnet synke en bit av den velsignede mat.

FRU ALVING *(i behersket uro, går opp og ned)*. Jeg ikke heller. Men hva er her å gjøre?

PASTOR MANDERS. Ja, hva er å gjøre? Jeg vet det, min tro, ikke; jeg er så aldeles uerfaren i desslike tilfelle.

FRU ALVING. Jeg er overbevist om at ennu er ingen ulykke skjedd.

PASTOR MANDERS. Nei, det forbyde himmelen! Men et usømmelig forhold er det like fullt.

FRU ALVING. Det hele er et løst innfall av Osvald; det kan De være viss på.

PASTOR MANDERS. Ja, jeg er jo, som sagt, ikke inne i den slags ting; men jeg synes dog tilforlatelig –

FRU ALVING. Ut av huset må hun jo. Og det straks. Det er en soleklar sak –

PASTOR MANDERS. Ja det forstår seg.

FRU ALVING. Men hvorhen? Vi kan da ikke forsvare at –

PASTOR MANDERS. Hvorhen? Naturligvis hjem til sin far.

FRU ALVING. Til hvem, sa De?

PASTOR MANDERS. Til sin –. Nei, men Engstrand er jo ikke –. Men, Herregud, frue, hvorledes er dette mulig? De må jo dog ta feil allikevel.

FRU ALVING. Dessverre; jeg tar ikke feil i noen ting. Johanne måtte gå til bekjennelse for meg, – og Alving kunne ikke nekte. Så var der jo ikke annet å gjøre enn å få saken neddysset.

PASTOR MANDERS. Nei, det var vel det eneste.

FRU ALVING. Piken kom straks av tjenesten og fikk en temmelig rikelig sum for å tie inntil videre. Resten sørget hun selv for da hun kom inn til byen. Hun fornyet gammelt bekjentskap med snekker Engstrand, lot seg vel forlyde med, kan jeg tro, hvor mange penge hun hadde, og bilte ham så noe inn om en eller annen utlending, som skulle ha ligget her med et lystfartøy den sommer. Så ble hun og Engstrand viet i hui og hast. Ja, De viet dem jo selv.

PASTOR MANDERS. Men hvorledes skal jeg da forklare meg –? Jeg husker tydelig da Engstrand kom for å bestille vielsen. Han var så rent sønderknust, og anklaget seg så bittert for den lettsindighet han og hans forlovede hadde gjort seg skyldig i.

FRU ALVING. Ja, han måtte jo ta skylden på seg.

PASTOR MANDERS. Men en sådan uoppriktighet av ham! Og det imot *meg*! Det hadde jeg tilforlatelig ikke trodd om Jakob Engstrand. Nå, jeg skal riktignok ta ham alvorlig for meg; det kan han belave seg på. – Og så det usedelige i en sånn forbindelse! For penges skyld –! Hvor stort var det beløp piken hadde å råde over?

FRU ALVING. Det var tre hundre spesier.

PASTOR MANDERS. Ja, tenke seg bare, – for lumpne tre hundre spesier å gå hen og la seg ektevie til en fallen kvinne!

FRU ALVING. Hva sier De da om meg som gikk hen og lot meg ektevie til en fallen mann?

PASTOR MANDERS. Men Gud bevare oss vel; – hva er det De sier? En fallen mann?

FRU ALVING. Tror De kanskje Alving var renere da jeg gikk med ham til alteret, enn Johanne var da Engstrand lot seg vie til henne?

PASTOR MANDERS. Ja men det er dog så himmelvidt forskjellige ting –

FRU ALVING. Slett ikke så forskjellige enda. Der var riktignok stor forskjell i prisen; – lumpne tre hundre daler og en hel formue.

PASTOR MANDERS. Men at De kan stille noe så ulikt sammen. De hadde jo dog berådet Dem med Deres hjerte og med Deres pårørende.

FRU ALVING *(ser ikke på ham)*. Jeg trodde De forsto hvorhen det De kaller mitt hjerte, hadde forvillet seg den gang.

PASTOR MANDERS *(fremmed)*. Hadde jeg forstått noe sånt, var jeg ikke blitt en daglig gjest i Deres manns hus.

FRU ALVING. Ja, det står iallfall fast at med meg selv berådte jeg meg sannelig ikke.

PASTOR MANDERS. Nå så med Deres nærmeste slekt da; således som foreskrevet er; med Deres mor og med begge Deres tanter.

FRU ALVING. Ja, det er sant. De tre gjorde opp regnestykket for meg. Å, det er utrolig hvor greitt de fikk ut at det ville være den rene dårskap å vrake et slikt tilbud. Om mor kunne se opp nu og visste hvor all den herlighet hadde båret hen!

PASTOR MANDERS. Utfallet kan ingen gjøres ansvarlig for. Så meget står iallfall fast at Deres ekteskap ble stiftet overensstemmende med full lovlig orden.

FRU ALVING *(ved vinduet)*. Ja, dette med lov og orden! Jeg tror mangen gang det er *det* som volder alle ulykkene her i verden.

PASTOR MANDERS. Fru Alving, nu forsynder De Dem.

FRU ALVING. Ja, det får så være, men jeg står ikke i det med alle disse bånd og hensyn lenger. Jeg kan det ikke! Jeg må arbeide meg ut til frihet.

PASTOR MANDERS. Hva mener De med det?

FRU ALVING *(trommer på vinduskarmen).* Jeg skulle aldri lagt dølgsmål på Alvings levnet. Men jeg torde ikke annet den gang, – ikke for min egen skyld heller. Så feig var jeg.

PASTOR MANDERS. Feig?

FRU ALVING. Hadde folk fått noe å vite, så hadde de sagt som så: stakkars mann, det er rimelig at han skeier ut, han, som har en kone der løper ifra ham.

PASTOR MANDERS. Med en viss rett kunne sånt nok sies.

FRU ALVING *(ser fast på ham).* Hvis jeg var den jeg skulle være, så tok jeg Osvald for meg og sa: hør, min gutt, din far var et forfallent menneske –

PASTOR MANDERS. Men du forbarmende –

FRU ALVING. – og så fortalte jeg ham alt hva jeg har fortalt Dem, rubb og stubb.

PASTOR MANDERS. Jeg er nær ved å opprøres over Dem, frue.

FRU ALVING. Ja, jeg vet det. Jeg vet det jo! Jeg opprøres selv ved den tanke. *(går fra vinduet.)* Så feig er jeg.

PASTOR MANDERS. Og De kaller det feighet å gjøre Deres likefremme plikt og skyldighet. Har De glemt at et barn skal akte og elske sin far og sin mor?

FRU ALVING. La oss ikke ta det så alminnelig. La oss spørre: skal Osvald akte og elske kammerherre Alving?

PASTOR MANDERS. Er der ikke en røst i Deres morshjerte som forbyr Dem å nedbryte Deres sønns idealer?

FRU ALVING. Ja men sannheten da?

PASTOR MANDERS. Ja men idealene da?

FRU ALVING. Å – idealer, idealer! Hvis jeg bare ikke var så feig som jeg er!

PASTOR MANDERS. Kast ikke vrak på idealene, frue, – for det hevner seg hårdeligen. Og nu især Osvald. Osvald har nok ikke rett mange idealer, dessverre. Men så meget har jeg kunnet skjønne at hans far står for ham som et sånt ideal.

FRU ALVING. Det har De rett i.

PASTOR MANDERS. Og disse hans forestillinger har De selv vakt og næret hos ham gjennem Deres breve.

FRU ALVING. Ja; jeg var under plikten og hensynene, derfor løy jeg for min gutt år ut og år inn. Å, hvor feig, – hvor feig jeg har vært!

PASTOR MANDERS. De har grunnfestet en lykkelig illusjon hos Deres sønn, fru Alving, – og det bør De sannelig ikke skatte ringe.

FRU ALVING. Hm; hvem vet om *det* nu er så bra allikevel. – Men noe maskepi med Regine vil jeg iallfall ikke vite av. Han skal ikke gå hen og gjøre den stakkars pike ulykkelig.

PASTOR MANDERS. Nei, du gode Gud, det ville jo være forferdelig!

FRU ALVING. Hvis jeg visste han mente det alvorlig, og at det ville bli hans lykke –

PASTOR MANDERS. Hvorledes? Hva så?

FRU ALVING. Men det ville det ikke bli; for Regine er dessverre ikke slik.

PASTOR MANDERS. Nå, hva så? Hva mener De?

FRU ALVING. Hvis jeg ikke var så gudsjammerlig feig som jeg er, så ville jeg si til ham: gift deg med henne, eller innrett jer som I vil; men bare ikke noe bedrag.

PASTOR MANDERS. Men du forbarmende –! Et lovformelig ekteskap endogså! Noe så forskrekkelig –! Noe så uhørt –!

FRU ALVING. Ja, sier De uhørt? Hånden på hjertet, pastor Manders; tror De ikke at der ute omkring i landet finnes adskillige ektepar som er like så nær i slekt?

PASTOR MANDERS. Jeg forstår Dem aldeles ikke.

FRU ALVING. Å jo så menn gjør De så.

PASTOR MANDERS. Nå, De tenker Dem det mulige tilfelle at –. Ja, dessverre, familielivet er visselig ikke alltid så rent som det burde være. Men sånt noe som De sikter til, kan man jo dog aldri vite, – iallfall ikke med bestemthet. Her derimot –; at De, en mor, kunne ville tilstede at Deres –!

FRU ALVING. Men jeg *vil* det jo ikke. Jeg ville ikke kunne tilstede det for noen pris i verden; det er jo nettopp det jeg sier.

PASTOR MANDERS. Nei, fordi De er feig, som De uttrykker Dem. Men hvis De altså ikke var feig –! Du min skaper, – en så opprørende forbindelse!

FRU ALVING. Ja, vi stammer nu forresten alle sammen fra den

slags forbindelser, sier jeg. Og hvem er det som har innrettet det slik her i verden, pastor Manders?

PASTOR MANDERS. Sånne spørsmål drøfter jeg ikke med Dem, frue; dertil har De langtfra ikke det rette sinn. Men at De tør si at det er feigt av Dem –!

FRU ALVING. Nu skal De høre hvorledes jeg mener det. Jeg er redd og sky, fordi der sitter i meg noe av det gjengangeraktige som jeg aldri riktig kan bli kvitt.

PASTOR MANDERS. Hva var det De kalte det?

FRU ALVING. Gjengangeraktig. Da jeg hørte Regine og Osvald der inne, var det som jeg så gjengangere for meg. Men jeg tror nesten vi er gjengangere alle sammen, pastor Manders. Det er ikke bare det vi har arvet fra far og mor som går igjen i oss. Det er alle slags gamle avdøde meninger og alskens gammel avdød tro og slikt noe. Det er ikke levende i oss; men det sitter i allikevel, og vi kan ikke bli det kvitt. Bare jeg tar en avis og leser i, er det liksom jeg så gjengangere smyge imellem linjene. Der må leve gjengangere hele landet utover. Det må være så tykt av dem som sand, synes jeg. Og så er vi så gudsjammerlig lysredde alle sammen.

PASTOR MANDERS. Aha, – der har vi altså utbyttet av Deres lesning. Skjønne frukter i sannhet! Å, disse avskyelige, opprørske, fritenkerske skrifter!

FRU ALVING. De tar feil, kjære pastor. De er selv den mann som fikk egget meg til å tenke; og det skal De ha takk og pris for.

PASTOR MANDERS. Jeg!

FRU ALVING. Ja, da De tvang meg inn under det som De kalte plikt og skyldighet; da De lovpriste som rett og riktig hva hele mitt sinn opprørte seg imot som imot noe vederstyggelig. Da var det jeg begynte å se Deres lærdomme efter i sømmene. Jeg ville bare pille ved en eneste knute; men da jeg hadde fått *den* løst, så raknet det opp alt sammen. Og så skjønte jeg at det var maskinsøm.

PASTOR MANDERS *(stille, rystet)*. Skulle dette være vinningen av mitt livs tungeste strid?

FRU ALVING. Kall det heller Deres ynkeligste nederlag.

PASTOR MANDERS. Det var mitt livs største seier, Helene; seieren over meg selv.

FRU ALVING. Det var en forbrytelse imot oss begge.

PASTOR MANDERS. At jeg bød Dem og sa: kvinne, gå hjem til Deres lovlige husbond, da De kom til meg forvillet og ropte: her er jeg; ta meg! Var *det* en forbrytelse?

FRU ALVING. Ja, jeg synes det.

PASTOR MANDERS. Vi to forstår ikke hinannen.

FRU ALVING. Ikke nu lenger iallfall.

PASTOR MANDERS. Aldri, – aldri i mine lønnligste tanker engang, har jeg sett Dem annerledes enn som en annens ektefelle.

FRU ALVING. Ja – tro det?

PASTOR MANDERS. Helene –!

FRU ALVING. En går seg selv så lett av minne.

PASTOR MANDERS. Ikke jeg. Jeg er den samme som jeg alltid var.

FRU ALVING *(slår om)*. Ja, ja, ja, – la oss ikke tale mer om gamle dage. Nu sitter De til opp over ørene i kommisjoner og bestyrelser; og jeg går her og kjemper med gjengangere både innvendig og utvendig.

PASTOR MANDERS. De utvendige skal jeg nok hjelpe Dem å få bukt med. Efter alt hva jeg med forferdelse har hørt av Dem i dag, kan jeg ikke for min samvittighet forsvare å la en ung ubefestet pike forbli i Deres hus.

FRU ALVING. Synes De ikke det var best om vi kunne få henne forsørget? Jeg mener – sånn godt gift.

PASTOR MANDERS. Utvilsomt. Jeg tror det ville være i alle henseender ønskelig for henne. Regine er jo nu i den alder da –; ja, jeg forstår meg jo ikke på det, men –

FRU ALVING. Regine ble tidlig voksen.

PASTOR MANDERS. Ja, gjorde hun ikke det? Det svever meg for at hun var påfallende sterkt utviklet i legemlig henseende da jeg forberedte henne til konfirmasjon. Men foreløbig må hun iallfall hjem; under sin fars oppsikt –. Nei, men Engstrand er jo ikke –. At han – at *han* således kunne fordølge sannheten for meg!

(Det banker på døren til forstuen.)

FRU ALVING. Hvem kan *det* være? Kom inn!

SNEKKER ENGSTRAND *(søndagskledd, i døren)*. Jeg ber så my' om forlatelse, men –

PASTOR MANDERS. Aha! Hm –

FRU ALVING. Er det Dem, Engstrand?

ENGSTRAND. – der var ingen av pikene til stede, og så tok jeg meg den dristige friheten å banke like på.

FRU ALVING. Nå ja, ja. Kom inn. Vil De tale med meg om noe?

ENGSTRAND *(kommer inn)*. Nei, ellers så mange takk. Det var nok med pastoren jeg gjerne ville tale et lite ord.

PASTOR MANDERS *(går opp og ned)*. Hm; ja så? De vil tale med meg? Vil De det?

ENGSTRAND. Ja, jeg ville så fælt gjerne –

PASTOR MANDERS *(stanser foran ham)*. Nå; må jeg spørre hva det er for noe?

ENGSTRAND. Jo, det var det, herr pastor, at nu har vi klarering der nede. Mangfoldig takk, frue. – Og nu er vi ferdig med all tingen; og så synes jeg det ville være så pent og passelig, om vi som har arbeidet så oppriktig sammen all denne tiden, – jeg synes vi skulle slutte med en liten andakt i kveld.

PASTOR MANDERS. En andakt? Nede i asylet?

ENGSTRAND. Ja, synes kanskje ikke pastoren det er passelig, så –

PASTOR MANDERS. Jo visst synes jeg det, men – hm –

ENGSTRAND. Jeg har selv brukt å holde litt andakt der nede om kveldene –

FRU ALVING. Har De?

ENGSTRAND. Ja, en gang imellem; slik en liten oppbyggelse å kalle for. Men jeg er jo en ringe, gemen mann og har ikke riktig gavene. Gu' bedre meg, – og så tenkte jeg, at siden herr pastor Manders just var her ute, så –

PASTOR MANDERS. Ja, ser De, snekker Engstrand, jeg må først gjøre Dem et spørsmål. Besidder De den rette stemning for en sådan sammenkomst? Føler De Deres samvittighet fri og lett?

ENGSTRAND. Å Gu' hjelpe oss, det er nok ikke verd å snakke om samvittigheten, herr pastor.

PASTOR MANDERS. Jo, det er just *den* vi skal tale om. Hva svarer De så?

ENGSTRAND. Ja, samvittigheten – den kan være fæl, den, somme tider.

PASTOR MANDERS. Nå, det erkjenner De da iallfall. Men vil De så uforbeholdent si meg, – hvorledes henger det sammen med Regine?

FRU ALVING *(hurtig)*. Pastor Manders!

PASTOR MANDERS *(beroligende)*. La De meg –

ENGSTRAND. Med Regine! Jøss', hvor redd De gjør meg da! *(ser på fru Alving.)* Det er da vel aldri galt fatt med Regine?

PASTOR MANDERS. Det vil vi håpe. Men jeg mener, hvorledes henger det sammen med Dem og Regine? De går jo og gjelder for hennes far. Nå?

ENGSTRAND *(usikker)*. Ja – hm – herr pastoren vet jo dette her med meg og salig Johanne.

PASTOR MANDERS. Ingen fordreielse av sannheten lenger. Deres avdøde hustru meddelte fru Alving den rette sammenheng før hun kom av tjenesten.

ENGSTRAND. Nå så skulle da –! Gjorde hun det allikevel?

PASTOR MANDERS. De er altså avsløret, Engstrand.

ENGSTRAND. Og hun, som både svor og bante så hellig på –

PASTOR MANDERS. Bante hun!

ENGSTRAND. Nei, hun bare svor, men det så inderlig oppriktig.

PASTOR MANDERS. Og i alle disse år har De fordulgt sannheten for meg. Fordulgt den for *meg*, som så ubetinget har festet lit til Dem i ett og alt.

ENGSTRAND. Ja, dessverre, jeg har nok det.

PASTOR MANDERS. Har jeg fortjent dette av Dem, Engstrand? Har jeg ikke stetse vært redebon til å gå Dem til hånde med råd og dåd så vidt det sto i min makt? Svar! Har jeg ikke det?

ENGSTRAND. Det hadde nok ikke sett godt ut for meg mangen gang om jeg ikke hadde hatt pastor Manders.

PASTOR MANDERS. Og så lønner De meg på en sådan måte. Får meg til å innføre uefterretteligheter i ministerialboken og forholder meg siden gjennem en rekke av år de opplysninger som De var både meg og sannheten skyldig. Deres ferd har vært aldeles ufor-svarlig, Engstrand; og fra nu av er det ute mellem oss.

ENGSTRAND *(med et sukk)*. Ja, det er vel det, kan jeg skjønne.

PASTOR MANDERS. Ja, for hvorledes ville De vel kunne rettfer-diggjøre Dem?

ENGSTRAND. Men skulle hun da gått her og skamfert seg enda mer ved å snakke om det? Vil nu bare herr pastoren tenke seg at han var i samme forfatning som salig Johanne –

PASTOR MANDERS. Jeg?

ENGSTRAND. Jøss', jøss', jeg mener ikke så like akkurat. Men jeg mener om pastoren hadde noe å skjems over i menneskenes øyne, som de sier. Vi mannspersoner skal ikke dømme en stakkars kvinne for strengt, herr pastor.

PASTOR MANDERS. Men det gjør jeg jo heller ikke. Det er Dem jeg retter bebreidelsen mot.

ENGSTRAND. Måtte jeg få lov til å gjøre herr pastoren et bitte lite spørsmål?

PASTOR MANDERS. Nå ja, spør.

ENGSTRAND. Er det ikke rett og riktig av en mann at han oppreiser den fallende?

PASTOR MANDERS. Jo, selvfølgelig.

ENGSTRAND. Og er ikke en mann skyldig å holde sitt oppriktige ord?

PASTOR MANDERS. Jo visselig er han det; men –

ENGSTRAND. Den gangen da Johanne var falt i ulykke dessformedelst denne engelskmannen – eller kanskje det var en amerikaner eller en russer, som de kaller det, – ja, så kom hun inn til byen. Stakkar, hun hadde slått vrak på meg før en gang eller to; for hun så nu bare på det som vakkert var, hun; og jeg hadde jo denne her skavanken i benet. Ja, pastoren mins jo jeg hadde fordristet meg opp på en dansesal hvor sjøfarendes matroser rejerte med drukkenskap og beruselse, som de sier. Og da jeg så ville formane dem til å vandre i et nytt levnet –

FRU ALVING *(henne ved vinduet)*. Hm –

PASTOR MANDERS. Jeg vet det, Engstrand; de rå mennesker kastet Dem nedover trappene. Den begivenhet har De før meddelt meg. De bærer Deres skavank med ære.

ENGSTRAND. Jeg hovmoder meg ikke derav, herr pastor. Men det var det jeg ville fortelle, at så kom hun og betrodde seg til meg under gredendes tårer og tenners gnissel. Jeg må si herr pastoren, det gjorde meg så hjertelig ondt å høre på.

PASTOR MANDERS. Gjorde det *det*, Engstrand. Nå; og så?

ENGSTRAND. Ja, så sa jeg til henne: Amerikaneren han er om-flakkendes på verdens hav, han. Og du, Johanne, sa jeg, du har begått et syndefall og er en fallen skapning. Men Jakob Engstrand, sa jeg, han står på to reelle ben, han; – ja, det mente jeg nu slik som en lignelse, herr pastor.

PASTOR MANDERS. Jeg forstår Dem så godt; bli De bare ved.

ENGSTRAND. Ja, så var det jeg oppreiste henne og ekteviet henne oppriktig for at ikke folk skulle få vite hvor villfarendes hun hadde vært med utlendinger.

PASTOR MANDERS. Alt dette var såre smukt handlet av Dem. Jeg kan blott ikke billige at De kunne bekvemme Dem til å motta penge –

ENGSTRAND. Penge? Jeg? Ikke en styver.

PASTOR MANDERS *(spørrende til fru Alving)*. Men –!

ENGSTRAND. Å ja, – bi litt; nu mins jeg det. Johanne hadde nok noen skillinger likevel. Men *det* ville jeg ikke vite noe av. Tvi, sa jeg, mammon, det er syndens sold, det; det usle gullet – eller papir-sedler, hva det var for noe – *det* slenger vi i amerikaneren igjen, sa jeg. Men han var avsides og forsvunnet over det ville hav, herr pas-tor.

PASTOR MANDERS. Var han det, min gode Engstrand?

ENGSTRAND. Ja vel. Og så ble jeg og Johanne enige om at de pengene skulle gå til å oppdra barnet for, og *så* ble det da også; og jeg kan gjøre regnskap og riktighet for hver evig eneste skilling.

PASTOR MANDERS. Men dette forandrer jo saken ganske betyde-lig.

ENGSTRAND. Slik henger det sammen, herr pastor. Og jeg tør nok si jeg har været en oppriktig far for Regine, – så langt mine krefter rakk da – for jeg er en skrøpelig mann, dessverre.

PASTOR MANDERS. Nå nå, min kjære Engstrand –

ENGSTRAND. Men det tør jeg si at jeg har oppdradd barnet og le-vet kjærlig med salig Johanne og øvet hustukten, som skrevet står. Men aldri kunne det da falle meg inn å gå opp til pastor Manders og hovmode meg og gjøre meg til av at jeg hadde gjort en god gjer-ning en gang i verden, jeg også. Nei, når slikt hendes Jakob Eng-

strand, så tier han stille med det. Dessverre, det går vel ikke så titt
på, kan jeg tro. Og når jeg kommer til pastor Manders, så har jeg så
evig nok med å snakke om det som galt og skrøpelig er. For jeg sier
det som jeg sa nylig, – samvittigheten kan være stygg en gang
iblant.

PASTOR MANDERS. Rekk meg Deres hånd, Jakob Engstrand.

ENGSTRAND. Å jøss, herr pastor –

PASTOR MANDERS. Ingen omsvøp. *(trykker hans hånd.)* Se så!

ENGSTRAND. Og hvis jeg så pent og vakkert torde be pastoren
om forlatelse –

PASTOR MANDERS. De? Nei, tvert imot; det er meg som skal be
Dem om forlatelse –

ENGSTRAND. Å nei kors da.

PASTOR MANDERS. Jo, tilforlatelig. Og det gjør jeg av hele mitt
hjerte. Tilgi at jeg således kunne miskjenne Dem. Og gid jeg så
sant kunne vise Dem et eller annet tegn på min oppriktige fortry-
delse og på min velvilje for Dem –

ENGSTRAND. Ville herr pastoren det?

PASTOR MANDERS. Med den aller største fornøyelse – –

ENGSTRAND. Ja for så var der riktignok leilighet til det nu. Med
de velsignede pengene som jeg har lagt meg til beste her ute, tenker
jeg på å grunnlegge et slags sjømannshjem inne i byen.

FRU ALVING. Vil De?

ENGSTRAND. Ja, det skulle bli som et slags asyl å kalle for. Fris-
telsene er så mangfoldige for sjømannen som vandrer på landjor-
den. Men i dette her huset hos meg kunne han få være som under
en fars oppsikt, tenkte jeg.

PASTOR MANDERS. Hva sier De til det, fru Alving!

ENGSTRAND. Det er jo ikke stort jeg har å fare med, Gu' bedre
det; men hvis jeg bare kunne få en velgjørendes håndsrekning, så –

PASTOR MANDERS. Ja, ja, la oss nærmere overveie den sak. De-
res forehavende tiltaler meg ganske overordentlig. Men gå De nu
foran, og gjør all ting i stand og få tent lys, så det kan være litt fest-
lig. Og så skal vi ha en oppbyggelig stund sammen, min kjære
Engstrand; for nu tror jeg nok De har den rette stemning.

ENGSTRAND. Jeg synes liksom det, ja. Og så farvel, frue, og

takk for her; og ta riktig godt vare på Regine for meg. *(visker en tåre av øyet.)* Salig Johannes barn – hm, det er underlig med det – men det er like rakt som hun var vokset fast i hjerterøttene mine. Ja-menn er det så, ja. *(Han hilser og går ut gjennem forstuen.)*

PASTOR MANDERS. Nå, hva sier De så om den mann, fru Alving! *Det* var en ganske annen forklaring, den vi der fikk.

FRU ALVING. Ja, det var det riktignok.

PASTOR MANDERS. Der ser De hvor overmåte varsom man må være med å fordømme et menneske. Men det er da også en inderlig glede å forvisse seg om at man har tatt feil. Eller hva sier *De?*

FRU ALVING. Jeg sier De er og blir et stort barn, Manders.

PASTOR MANDERS. Jeg?

FRU ALVING *(legger begge hender på hans skuldre).* Og jeg sier jeg kunne ha lyst til å slå begge armene om halsen på Dem.

PASTOR MANDERS *(trekker seg hurtig bort).* Nei nei, Gud velsigne Dem –; desslike lyster –

FRU ALVING *(med et smil).* Å, De skal ikke være redd for meg.

PASTOR MANDERS *(ved bordet).* De har stundom en så overdreven måte å uttrykke Dem på. Nu vil jeg først samle dokumentene sammen og legge dem i min taske. *(gjør som han sier.)* Se så. Og nu farvel så lenge. Ha øynene med Dem når Osvald kommer tilbake. Jeg ser siden opp til Dem igjen. *(Han tar sin hatt og går ut gjennem forstuedøren.)*

FRU ALVING *(drar et sukk, ser et øyeblikk ut av vinduet, rydder litt opp i stuen og vil gå inn i spiseværelset, men stanser med et dempet utrop i døren).* Osvald, sitter du ennu ved bordet!

OSVALD *(i spisestuen).* Jeg røker bare min sigar ut.

FRU ALVING. Jeg trodde du var gått litt oppover veien.

OSVALD. I slikt vær?

(Et glass klirrer. Fru Alving lar døren stå åpen og setter seg med sitt strikketøy på sofaen ved vinduet.)

OSVALD *(der inne).* Var det ikke pastor Manders som gikk nu nylig?

FRU ALVING. Jo, han gikk ned på asylet.

OSVALD. Hm.

(Glass og karaffel klirrer igjen.)

FRU ALVING *(med bekymret øyekast)*. Kjære Osvald, du skulle vokte deg for den likør. Den er sterk.

OSVALD. Den er god imot fuktigheten.

FRU ALVING. Vil du ikke heller komme inn til meg?

OSVALD. Jeg må jo ikke røke der inne.

FRU ALVING. Sigar vet du jo godt du må røke.

OSVALD. Ja, ja, så kommer jeg da. Bare en bitte liten dråpe til. – Se så. *(Han kommer med en sigar inn i stuen og lukker døren efter seg. Kort taushet.)*

OSVALD. Hvor er pastoren henne?

FRU ALVING. Jeg sa deg jo han gikk ned på asylet.

OSVALD. Å ja, det er sant.

FRU ALVING. Du skulle ikke bli sittende så lenge ved bordet, Osvald.

OSVALD *(med sigaren bak ryggen)*. Men jeg synes det er så hyggelig, mor. *(stryker og klapper henne.)* Tenk, – for meg, som er kommet hjem, å sitte ved mors eget bord, i mors stue, og spise mors deilige mat.

FRU ALVING. Min kjære, kjære gutt!

OSVALD *(noe utålmodig, går og røker)*. Og hva skal jeg ellers ta meg til her? Jeg kan ikke bestille noe –

FRU ALVING. Ja, kan du ikke det?

OSVALD. I slikt gråvær? Uten at der faller et solblink hele dagen? *(går hen over gulvet.)* Å, *det*, ikke å kunne arbeide –!

FRU ALVING. Det var nok ikke riktig vel betenkt av deg at du kom hjem.

OSVALD. Jo mor; det måtte så være.

FRU ALVING. Ja, for jeg ville da ti ganger heller unnvære den lykke å ha deg hos meg enn at du skulle –

OSVALD *(stanser ved bordet)*. Men si meg nu, mor, – er det da virkelig så stor en lykke for deg å ha meg hjemme?

FRU ALVING. Om *det* er en lykke for meg!

OSVALD *(krammer en avis)*. Jeg synes det måtte nesten være det samme for deg, enten jeg var til eller ikke.

FRU ALVING. Og det har du hjerte til å si til din mor, Osvald?

OSVALD. Men du har da så godt kunnet leve meg foruten før.

FRU ALVING. Ja; jeg har levet deg foruten; – det er sant.

(Taushet. Skumringen begynner langsomt. Osvald går frem og tilbake på gulvet. Sigaren har han lagt fra seg.)

OSVALD *(stanser ved fru Alving)*. Mor, må jeg få lov å sitte i sofaen hos deg?

FRU ALVING *(gjør plass for ham)*. Ja, kom du, min kjære gutt.

OSVALD *(setter seg)*. Nu må jeg si deg noe, mor.

FRU ALVING *(spent)*. Nu vel!

OSVALD *(stirrer frem for seg)*. For jeg kan ikke gå og bære på det lenger.

FRU ALVING. På hva for noe? Hva er det?

OSVALD *(som før)*. Jeg har ikke kunnet komme meg for å skrive deg til om det; og siden jeg kom hjem –

FRU ALVING *(griper ham om armen)*. Osvald, hva *er* dette for noe!

OSVALD. Både i går og i dag har jeg prøvet å skyte tankene fra meg, – slå meg løs. Men det går ikke.

FRU ALVING *(reiser seg)*. Nu skal du tale rent ut, Osvald!

OSVALD *(drar henne ned på sofaen igjen)*. Bli sittende, så vil jeg prøve på å si deg det. – Jeg har klaget så over tretthet efter reisen –

FRU ALVING. Nu ja! Hva så?

OSVALD. Men det er ikke det som feiler meg; ikke noen alminnelig tretthet –

FRU ALVING *(vil springe opp)*. Du er da ikke syk, Osvald!

OSVALD *(drar henne atter ned)*. Bli sittende, mor. Ta det bare rolig. Jeg er ikke riktig syk heller; ikke sånn hva man alminnelig kaller syk. *(slår hendene sammen over hodet.)* Mor, jeg er åndelig nedbrutt, – ødelagt, – jeg kan aldri komme til å arbeide mer! *(han kaster seg med hendene for ansiktet ned i hennes skjød og brister i hulkende gråt.)*

FRU ALVING *(blek og dirrende)*. Osvald! Se på meg! Nei, nei, dette er ikke sant.

OSVALD *(ser opp med fortvilede øyne)*. Aldri kunne arbeide mer! Aldri – aldri! Være som levende død! Mor, kan du tenke deg noe så forferdelig?

FRU ALVING. Min ulykkelige gutt! Hvorledes er dette forferdelige kommet over deg?

OSVALD *(setter seg atter oppreist)*. Ja, det er just det jeg umulig kan fatte og begripe. Jeg har aldri ført noe stormende liv. Ikke i noen henseende. Det skal du ikke tro om meg, mor! Det har jeg aldri gjort.

FRU ALVING. Det tror jeg heller ikke, Osvald.

OSVALD. Og så kommer dette over meg allikevel! Denne forferdelige ulykke!

FRU ALVING. Å, men det vil rette seg, min kjære, velsignede gutt. Det er ikke annet enn overanstrengelse. Du kan tro meg på det.

OSVALD *(tungt)*. Det trodde jeg også i førstningen; men det er ikke så.

FRU ALVING. Fortell meg fra ende til annen.

OSVALD. Det vil jeg også.

FRU ALVING. Hva tid merket du det først?

OSVALD. Det var straks efter at jeg hadde vært hjemme forrige gang og var kommet ned til Paris igjen. Jeg begynte å føle de voldsomste smerter i hodet – mest i bakhodet, syntes jeg. Det var som en trang jernring ble skruet om nakken og oppover.

FRU ALVING. Og så?

OSVALD. I førstningen trodde jeg det ikke var annet enn den sedvanlige hodepine som jeg hadde vært så plaget med, da jeg var i oppveksten.

FRU ALVING. Ja, ja –

OSVALD. Men det var ikke så; det merket jeg snart. Jeg kunne ikke arbeide lenger. Jeg ville begynne på et nytt stort bilde; men det var som om evnene sviktet meg; all min kraft var som lamslått; jeg kunne ikke samle meg til faste forestillinger; det svimlet for meg, – løp rundt. Å, det var en forferdelig tilstand! Til slutt sendte jeg da bud efter lægen, – og av ham fikk jeg vite beskjed.

FRU ALVING. Hvorledes, mener du?

OSVALD. Det var en av de første læger der nede. Jeg måtte da fortelle ham hvorledes jeg følte det; og så begynte han å gjøre meg en hel del spørsmål som jeg syntes slett ikke kom saken ved; jeg begrep ikke hvor mannen ville hen –

FRU ALVING. Nu!

OSVALD. Til sist sa han: der har like fra fødselen av vært noe ormstukket ved Dem; – han brukte nettopp uttrykket «vermoulu».

FRU ALVING *(spent)*. Hva mente han med det?

OSVALD. Jeg forsto det heller ikke, og ba ham om en nærmere forklaring. Og så sa den gamle kyniker – *(knytter hånden.)* Å–!

FRU ALVING. Hva sa han?

OSVALD. Han sa: fedrenes synder hjemsøkes på børnene.

FRU ALVING *(reiser seg langsomt opp)*. Fedrenes synder –!

OSVALD. Jeg hadde nær slått ham i ansiktet –

FRU ALVING *(går henover gulvet)*. Fedrenes synder –

OSVALD *(smiler tungt)*. Ja, hva synes du? Naturligvis forsikret jeg ham at der aldeles ikke kunne være tale om slikt noe. Men tror du han ga seg for *det*? Nei, han ble ved sitt; og det var først da jeg hadde tatt frem dine breve og oversatt for ham alle de steder som handlet om far –

FRU ALVING. Men *da* –?

OSVALD. Ja, da måtte han selvfølgelig innrømme at han var på villspor; og så fikk jeg vite sannheten. Den ubegripelige sannhet! Dette jublende lykksalige ungdomsliv med kameratene skulle jeg avholde meg fra. Det hadde vært for sterkt for mine krefter. Selvforskyldt, altså!

FRU ALVING. Osvald! Å nei; tro ikke det!

OSVALD. Der var ingen annen forklaring mulig, sa han. *Det* er det forferdelige. Uhelbredelig ødelagt for hele livet – for min egen ubesindighets skyld. Alt hva jeg ville utrette i verden, – ikke å tore tenke på det en gang, – ikke å *kunne* tenke på det. Å, kunne jeg bare leve om igjen, – gjøre det ugjort alt sammen! *(han kaster seg på ansiktet ned i sofaen.)*

FRU ALVING *(vrir hendene og går taus kjempende frem og tilbake)*.

OSVALD *(efter en stund, ser opp og blir halvt liggende på albuen)*. Hadde det enda vært noe nedarvet, – noe som en ikke selv kunne gjøre for. Men dette her! På en så skammelig, tankeløs lettsindig måte å ha sløst bort sin egen lykke, sin egen sunnhet, all ting i verden, – sin fremtid, sitt liv –!

FRU ALVING. Nei, nei, min kjære, velsignede gutt; dette er umulig! *(bøyer seg over ham.)* Det står ikke så fortvilet til med deg som du tror.

OSVALD. Å, du vet ikke –. *(springer opp.)* Og så det, mor, at jeg skal volde deg all den sorg! Mangen gang har jeg nesten ønsket og håpet at du i grunnen ikke brød deg så stort om meg.

FRU ALVING. Jeg, Osvald; min eneste gutt! Det eneste jeg eier og har i verden; det eneste jeg bryr meg om.

OSVALD *(griper begge hennes hender og kysser dem)*. Ja, ja, jeg ser det nok. Når jeg er hjemme, så ser jeg det jo. Og det er noe av det tungeste for meg. – Men nu vet du det altså. Og nu vil vi ikke tale mer om det for i dag. Jeg tåler ikke å tenke lenge på det av gangen. *(går oppover gulvet.)* Skaff meg noe å drikke, mor!

FRU ALVING. Drikke? Hva vil du drikke nu?

OSVALD. Å, hva som helst. Du har jo noe kold punsj i huset.

FRU ALVING. Ja, men min kjære Osvald –!

OSVALD. Sett deg ikke imot det, mor. Vær nu snill. Jeg *må* ha noe å skylle alle disse nagende tankene ned med. *(går opp i blomsterværelset.)* Og så – så mørkt som her er!

FRU ALVING *(ringer på en klokkestreng til høyre)*.

OSVALD. Og dette uopphørlige regnvær. Uke efter uke kan det jo vare ved; hele måneder. Aldri få se et solglimt. De gange jeg har vært hjemme, minnes jeg aldri jeg har sett solen skinne.

FRU ALVING. Osvald, – du tenker på å reise fra meg!

OSVALD. Hm – *(drar været tungt.)* Jeg tenker ikke på noen ting. *Kan* ikke tenke på noen ting! *(lavmælt.)* Det lar jeg nok være.

REGINE *(fra spisestuen)*. Ringte fruen?

FRU ALVING. Ja, la oss få lampen inn.

REGINE. Straks, frue. Den er alt tent. *(går ut.)*

FRU ALVING *(går hen til Osvald)*. Osvald, vær ikke forbeholden imot meg.

OSVALD. Det er jeg ikke, mor. *(går hen til bordet.)* Jeg synes jeg har sagt deg så meget.

REGINE *(bringer lampen og setter den på bordet)*.

FRU ALVING. Hør, Regine, du kunne hente oss en halv flaske champagne.

REGINE. Vel, frue. *(går ut igjen.)*

OSVALD *(tar fru Alving om hodet)*. Det er som det skal være. Jeg visste nok mor ville ikke la sin gutt tørste.

FRU ALVING. Du min stakkars kjære Osvald; hvorledes skulle jeg kunne nekte deg noen ting nu?

OSVALD *(livfullt)*. Er *det* sant, mor? Mener du det?

FRU ALVING. Hvorledes? Hvilket?

OSVALD. At du ikke ville kunne nekte meg noen ting?

FRU ALVING. Men kjære Osvald –

OSVALD. Hyss!

REGINE *(bringer en brikke med en halv flaske champagne og to glass, som hun setter på bordet)*. Skal jeg åpne –?

OSVALD. Nei takk, det skal jeg selv.

(Regine går ut igjen.)

FRU ALVING *(setter seg ved bordet)*. Hva var det du mente – jeg ikke måtte nekte deg?

OSVALD *(beskjeftiget med å åpne flasken)*. Først et glass – eller to. *(Korken springer; han skjenker i det ene glass og vil skjenke i det annet.)*

FRU ALVING *(holder hånden over)*. Takk, – ikke for meg.

OSVALD. Nå, så for meg da! *(han tømmer glasset, fyller det på nytt og tømmer det atter; derpå setter han seg ved bordet.)*

FRU ALVING *(ventende)*. Nu da?

OSVALD *(uten å se på henne)*. Hør, si meg, – jeg syntes du og pastor Manders så så underlig – hm, stillferdige ut ved middagsbordet.

FRU ALVING. La du merke til det?

OSVALD. Ja. Hm – *(efter en kort taushet.)* Si meg, – hva synes du om Regine?

FRU ALVING. Hva jeg synes?

OSVALD. Ja, er hun ikke prektig?

FRU ALVING. Kjære Osvald, du kjenner henne ikke så nøye som jeg –

OSVALD. Nå?

FRU ALVING. Regine fikk dessverre gå for lenge hjemme. Jeg skulle tatt henne til meg tidligere.

OSVALD. Ja, men er hun ikke prektig å se på, mor? *(fyller sitt glass.)*

FRU ALVING. Regine har mange og store feil –

OSVALD. Å ja, hva gjør det? *(han drikker igjen.)*

FRU ALVING. Men jeg holder av henne allikevel; og jeg har ansvaret for henne. Jeg ville ikke for alt i verden at hun skulle komme noe til.

OSVALD *(springer opp)*. Mor, Regine er min eneste redning!

FRU ALVING *(reiser seg)*. Hva mener du med det?

OSVALD. Jeg kan ikke gå her og bære all denne sjelekval alene.

FRU ALVING. Har du ikke din mor til å bære den med deg?

OSVALD. Jo, det tenkte jeg; og derfor kom jeg også hjem til deg. Men det går ikke på den måten. Jeg ser det; det går ikke. Jeg holder ikke mitt liv ut her!

FRU ALVING. Osvald!

OSVALD. Jeg må leve annerledes, mor. Derfor må jeg bort ifra deg. Jeg vil ikke ha at du skal gå og se på det.

FRU ALVING. Min ulykkelige gutt! Å, men, Osvald, så lenge du er så syk som nu –

OSVALD. Var det bare sykdommen alene, så ble jeg nok hos deg, mor. For du er min beste venn i verden.

FRU ALVING. Ja, ikke sant, Osvald; er jeg ikke det!

OSVALD *(driver urolig om)*. Men det er alle kvalene, naget, angeren, – og så den store dødelige angst. Å – denne forferdelige angst!

FRU ALVING *(går efter ham)*. Angst? Hvilken angst? Hva mener du?

OSVALD. Å, du må ikke spørre meg om mer. Jeg vet det ikke. Jeg kan ikke beskrive det for deg.

FRU ALVING *(går over mot høyre og trekker i klokkestrengen)*.

OSVALD. Hva er det du vil?

FRU ALVING. Jeg vil min gutt skal være glad, vil jeg. Han skal ikke gå her og gruble. *(til Regine, som kommer i døren.)* Mer champagne. En hel flaske. *(Regine går.)*

OSVALD. Mor!

FRU ALVING. Tror du ikke vi forstår å leve her på gården også?

OSVALD. Er hun ikke prektig å se på? Slik som hun er bygget! Og så kjernesunn.

FRU ALVING *(setter seg ved bordet)*. Sett deg, Osvald, og la oss tale rolig sammen.

OSVALD *(setter seg)*. Du vet nok ikke, mor, at jeg har en urett å gjøre god igjen mot Regine.

FRU ALVING. Du!

OSVALD. Eller en liten ubetenksomhet – hva du vil kalle det. Meget uskyldig forresten. Da jeg sist var hjemme –

FRU ALVING. Ja?

OSVALD. – så spurte hun meg så ofte om Paris, og jeg fortalte henne da et og annet dernedefra. Så husker jeg at jeg en dag kom til å si: skulle De ikke selv ha lyst til å komme derned?

FRU ALVING. Nu?

OSVALD. Jeg så at hun ble ganske blussende rød, og så sa hun: jo, det hadde jeg riktignok lyst til. Ja ja, svarte jeg, det kan der nok bli råd for – eller noe slikt.

FRU ALVING. Nu ja?

OSVALD. Jeg hadde naturligvis glemt det hele; men da jeg i forgårs kom til å spørre henne om hun var glad over at jeg skulle bli så lenge hjemme –

FRU ALVING. Ja?

OSVALD. – da så hun så besynderlig på meg, og så spurte hun: men hva blir der så av min reise til Paris?

FRU ALVING. Hennes reise!

OSVALD. Og så fikk jeg ut av henne at hun hadde tatt saken alvorlig, at hun hadde gått her og tenkt på meg hele tiden, og at hun hadde lagt seg efter å lære fransk –

FRU ALVING. Derfor altså –

OSVALD. Mor, – da jeg så den prektige, smukke, kjernefriske pike stå der for meg – før hadde jeg jo aldri lagt videre merke til henne – men nu, da hun sto der liksom med åpne arme ferdig til å ta imot meg –

FRU ALVING. Osvald!

OSVALD. – da gikk det opp for meg at i henne var der redning; for jeg så der var livsglede i henne.

FRU ALVING *(stussende)*. Livsglede –? Kan der være redning i *den*?

REGINE *(fra spisestuen med en champagneflaske).* Jeg ber unn-skylde at jeg ble så lenge; men jeg måtte i kjelleren – *(setter flasken på bordet.)*

OSVALD. Og hent så et glass til.

REGINE *(ser forundret på ham).* Der står fruens glass, herr Alving.

OSVALD. Ja, men hent et til deg selv, Regine.

REGINE *(farer sammen og kaster et lynsnart sky sideblikk til fru Alving).*

OSVALD. Nå?

REGINE *(sakte og nølende).* Er det med fruens vilje –?

FRU ALVING. Hent glasset, Regine.

(Regine går ut i spisestuen.)

OSVALD *(ser efter henne).* Har du lagt merke til hvorledes hun går? Så fast og freidig.

FRU ALVING. Dette skjer ikke, Osvald!

OSVALD. Den sak er avgjort. Det ser du jo. Det nytter ikke å tale imot.

REGINE *(kommer med et tomt glass, som hun beholder i hånden).*

OSVALD. Sett deg, Regine.

REGINE *(ser spørrende på fru Alving).*

FRU ALVING. Sett deg ned.

REGINE *(setter seg på en stol ved spisestuedøren og beholder fremdeles det tomme glass i hånden).*

FRU ALVING. Osvald, – hva var det du sa om livsgleden?

OSVALD. Ja, livsgleden, mor, – den kjenner I ikke stort til her hjemme. Jeg fornemmer den aldri her.

FRU ALVING. Ikke når du er hos meg?

OSVALD. Ikke når jeg er hjemme. Men det forstår du ikke.

FRU ALVING. Jo, jo, jeg tror nesten jeg forstår det – nu.

OSVALD. Den – og så arbeidsgleden. Ja, det er nu i grunnen den samme ting. Men den vet I heller ikke noe om.

FRU ALVING. Det kan du nok ha rett i. Osvald, la meg høre mer om dette her.

OSVALD. Ja, det er bare det jeg mener, at her læres folk opp til å

tro at arbeidet er en forbannelse og en syndestraff, og at livet er noe
jammerlig noe som vi er best tjent med å komme ut av jo før jo hel-
ler.

FRU ALVING. En jammerdal, ja. Og det gjør vi det da også ærlig
og redelig til.

OSVALD. Men slikt noe vil menneskene ikke vite av der ute. Der
er ingen der som riktig tror på den slags lærdomme lenger. Der ute
kan det kjennes som noe så jublende lykksalig, bare det å være til i
verden. Mor, har du lagt merke til, at alt det jeg har malt, har dreiet
seg om livsgleden? Alltid og bestandig om livsgleden. Der er lys og
solskinn og søndagsluft, – og strålende fornøyde menneskeansik-
ter. Derfor er jeg redd for å bli her hjemme hos deg.

FRU ALVING. Redd? Hva er det du er redd for her hos meg?

OSVALD. Jeg er redd for at alt det som er oppe i meg, ville arte ut
i stygghet her.

FRU ALVING *(ser fast på ham)*. Tror du *det* ville skje?

OSVALD. Jeg vet det så visst. Lev det samme liv her hjemme som
der ute, og det blir dog ikke det samme liv.

FRU ALVING *(som spent har lyttet, reiser seg med store tanke-
fulle øyne og sier)*: Nu ser jeg sammenhengen.

OSVALD. Hva ser du?

FRU ALVING. Nu ser jeg den for første gang. Og nu kan jeg tale.

OSVALD *(reiser seg)*. Mor, jeg forstår deg ikke.

REGINE *(som likeledes har reist seg)*. Skal jeg kanskje gå?

FRU ALVING. Nei, bli her. Nu kan jeg tale. Nu, min gutt, skal du
vite det alt sammen. Og så kan du velge. Osvald! Regine!

OSVALD. Vær stille. Pastoren –

PASTOR MANDERS *(kommer inn gjennem forstuedøren)*. Se så,
nu har vi hatt en hjertens hyggelig stund der nede.

OSVALD. Vi også.

PASTOR MANDERS. Engstrand må hjelpes med dette sjømanns-
hjem. Regine må flytte til ham og være ham behjelpelig –

REGINE. Nei takk, herr pastor.

PASTOR MANDERS *(legger nu først merke til henne)*. Hva –? Her,
– og med et glass i hånden!

REGINE *(setter hurtig glasset fra seg)*. Pardon –!

OSVALD. Regine flytter med meg, herr pastor.

PASTOR MANDERS. Flytter! Med Dem!

OSVALD. Ja, som min hustru, – hvis hun forlanger det.

PASTOR MANDERS. Men du forbarmende –!

REGINE. Jeg kan ikke gjøre for det, herr pastor.

OSVALD. Eller hun blir her hvis jeg blir.

REGINE *(uvilkårlig)*. Her!

PASTOR MANDERS. Jeg forstenes over Dem, fru Alving.

FRU ALVING. Ingen av delene skjer; for nu kan jeg tale rent ut.

PASTOR MANDERS. Men det vil De da ikke! Nei, nei, nei.

FRU ALVING. Jo, jeg både kan og vil. Og enda skal der ingen idealer falle.

OSVALD. Mor, hva er det for noe som her skjules for meg!

REGINE *(lyttende)*. Frue! Hør! Der er folk som skriker utenfor. *(hun går opp i blomsterværelset og ser ut.)*

OSVALD *(mot vinduet til venstre)*. Hva er på ferde? Hvor kommer den lysningen fra?

REGINE *(roper)*. Det brenner i asylet!

FRU ALVING *(mot vinduet)*. Brenner!

PASTOR MANDERS. Brenner? Umulig! Jeg var jo nylig der nede.

OSVALD. Hvor er min hatt? Nå, det kan være det samme –. Fars asyl –! *(han løper ut gjennem havedøren.)*

FRU ALVING. Mitt tørkle, Regine! Det brenner i lys lue.

PASTOR MANDERS. Forferdelig! Fru Alving, *der* lyser straffedommen over dette forstyrrelsens hus!

FRU ALVING. Ja, ja visst. Kom, Regine.

        (hun og Regine skynder seg ut gjennem forstuen.)

PASTOR MANDERS *(slår hendene sammen)*. Og så ikke assurert! *(ut samme vei.)*

TREDJE AKT

(Stuen som før. Alle dørene står åpne. Lampen brenner fremdeles på bordet. Mørkt utenfor; kun en svak ildskimmer til venstre i bakgrunnen.)

(Fru Alving, med et stort tørkle over hodet, står oppe i blomsterværelset og ser ut. Regine, likeledes med et tørkle om seg, står litt bak henne.)

FRU ALVING. Brent alt sammen. Like til grunnen.

REGINE. Det brenner ennu i kjellerne.

FRU ALVING. At ikke Osvald kommer opp. Der er jo ingenting å redde.

REGINE. Skal jeg kanskje gå ned til ham med hatten?

FRU ALVING. Har han ikke sin hatt en gang?

REGINE *(peker ut i forstuen)*. Nei, der henger den.

FRU ALVING. Så la den henge. Nu må han dog komme opp. Jeg vil selv se efter. *(hun går ut gjennem havedøren.)*

PASTOR MANDERS *(kommer fra forstuen)*. Er ikke fru Alving her?

REGINE. Nu gikk hun nettopp ned i haven.

PASTOR MANDERS. Dette er den forskrekkeligste natt jeg har opplevet.

REGINE. Ja, er det ikke en gruelig ulykke, herr pastor?

PASTOR MANDERS. Å, tal ikke om det! Jeg tør knapt tenke på det en gang.

REGINE. Men hvorledes kan det være gått til –?

PASTOR MANDERS. Spør meg ikke, jomfru Engstrand! Hvor kan *jeg* vite det? Vil *De* kanskje også –? Er det ikke nok at Deres far –?

REGINE. Hva han?

PASTOR MANDERS. Å, han har gjort meg rent fortumlet i hodet.

SNEKKER ENGSTRAND *(kommer gjennem forstuen)*. Herr pastor –!

PASTOR MANDERS *(vender seg forskrekket)*. Er De efter meg her også!

ENGSTRAND. Ja, jeg må Gu' døde meg –! Å, jøss da! Men dette her er så fælt, herr pastor!

PASTOR MANDERS *(går frem og tilbake)*. Dessverre, dessverre!

REGINE. Hva er det for noe?

ENGSTRAND. Å, det kom av denne her andakten, ser du. *(sakte.)* Nu har vi gjøken, barnet mitt! *(høyt.)* Og så at *jeg* skal være skyld i at pastor Manders ble skyld i slikt noe!

PASTOR MANDERS. Men jeg forsikrer Dem, Engstrand –

ENGSTRAND. Men der var jo ingen andre enn pastoren som regjerte med lysene der nede.

PASTOR MANDERS *(stanser)*. Ja, det påstår De. Men jeg kan tilforlatelig ikke erindre at jeg hadde et lys i min hånd.

ENGSTRAND. Og jeg som *så* så grangivelig at pastoren tok lyset og snøt det med fingrene, og slengte tanen like bort i høvleflisene.

PASTOR MANDERS. Og det så De på?

ENGSTRAND. Ja, det så jeg plent, det.

PASTOR MANDERS. Dette er det meg umulig å begripe. Det er ellers aldri min vane å pusse lys med fingrene.

ENGSTRAND. Ja, det så også fælt uvorrent ut, gjorde det. Men kan det da bli så rent farlig, herr pastor?

PASTOR MANDERS *(går urolig frem og tilbake)*. Å, spør meg ikke!

ENGSTRAND *(går med ham)*. Og så har jo ikke pastoren assurert det heller?

PASTOR MANDERS *(fremdeles gående)*. Nei, nei, nei; det hører De jo.

ENGSTRAND *(følger med)*. Ikke assurert. Og så gå bent bort og stikke varme på det alt i hop. Jøss, jøss, for en ulykke!

PASTOR MANDERS *(tørrer sveden av pannen)*. Ja, det må De nok si, Engstrand.

ENGSTRAND. Og så at slikt skulle hende seg med en velgjørendes anstalt, som skulle vært til nytte for både by og bygd, som de sier. Bladene vil nok ikke fare fint med pastoren, kan jeg tro.

PASTOR MANDERS. Nei, det er just det jeg går og tenker på. Det er nesten det verste av det alt sammen. Alle disse hatefulle angrep og beskyldninger –! Å, det er forskrekkelig å tenke seg til!

FRU ALVING *(kommer fra haven)*. Han er ikke å formå til å gå fra slukningen.

PASTOR MANDERS. Ah, er De der, frue.

FRU ALVING. Så slapp De dog å holde Deres festtale, pastor Manders.

PASTOR MANDERS. Å, jeg skulle så gladeligen –

FRU ALVING *(dempet)*. Det var best at det gikk som det gikk. Dette asyl var ikke blitt til noen velsignelse.

PASTOR MANDERS. Tror De ikke?

FRU ALVING. Tror *De* det?

PASTOR MANDERS. Men det var dog en overmåte stor ulykke allikevel.

FRU ALVING. Vi vil tale kort og godt om det, som en forretnings-sak. – Venter De på pastoren, Engstrand?

ENGSTRAND *(ved forstuedøren)*. Ja, jeg gjør nok det.

FRU ALVING. Så sett Dem så lenge.

ENGSTRAND. Takk; jeg står så godt.

FRU ALVING *(til pastor Manders)*. De reiser nu formodentlig med dampskibet?

PASTOR MANDERS. Ja. Det går om en times tid.

FRU ALVING. Vær da så god å ta alle papirene med Dem igjen. Jeg vil ikke høre et ord mer om denne sak. Jeg har fått andre ting å tenke på –

PASTOR MANDERS. Fru Alving –

FRU ALVING. Siden skal jeg sende Dem fullmakt til å ordne all ting som De selv vil.

PASTOR MANDERS. Det skal jeg så inderlig gjerne påta meg. Legatets opprinnelige bestemmelse må jo nu dessverre aldeles for-andres.

FRU ALVING. Det forstår seg.

PASTOR MANDERS. Ja, så tenker jeg foreløbig jeg ordner det så at gårdparten Solvik tilfaller landsognet. Jordveien kan jo ingenlunde sies å være fullstendig verdiløs. Den vil alltid kunne gjøres nyttig til et eller annet. Og rentene av den kontante beholdning som innestår i sparebanken, kunne jeg kanskje anvende til å støtte et eller annet foretagende som måtte sies å være til gavn for byen.

FRU ALVING. Ganske som De vil. Det hele er meg nu ganske likegyldig.

ENGSTRAND. Tenk på mitt sjømannshjem, herr pastor!

PASTOR MANDERS. Ja, tilforlatelig, De sier noe. Nå, det må nøye overlegges.

ENGSTRAND. Nei fan' ikke overlegge –. Å jøss' da!

PASTOR MANDERS *(med et sukk).* Og jeg vet jo dessverre ikke hvor lenge jeg får med de saker å bestille. Om ikke den offentlige mening vil nøde meg til å fratre. Det beror jo alt sammen på utfallet av brannforhørene.

FRU ALVING. Hva er det De sier?

PASTOR MANDERS. Og utfallet lar seg aldeles ikke på forhånd beregne.

ENGSTRAND *(nærmere).* Å jo så menn gjør det så. For her står Jakob Engstrand og jeg.

PASTOR MANDERS. Ja ja, men –?

ENGSTRAND *(saktere).* Og Jakob Engstrand er ikke den mann som svikter en verdig velgjører i nødens stund, som de kaller det.

PASTOR MANDERS. Ja men kjære, – hvorledes –?

ENGSTRAND. Jakob Engstrand er som en redningens engel å lignes ved, han, herr pastor.

PASTOR MANDERS. Nei, nei, dette kan jeg tilforlatelig ikke motta.

ENGSTRAND. Å, det blir nu så allikevel. Jeg vet en som har tatt skylden på seg for andre en gang før, jeg.

PASTOR MANDERS. Jakob! *(trykker hans hånd.)* De er en sjelden personlighet. Nå, De skal også bli forhjulpet til Deres sjømannsasyl; det kan De lite på.

ENGSTRAND *(vil takke, men kan ikke for rørelse).*

PASTOR MANDERS *(henger reisetasken om skulderen).* Og så av sted. Vi to reiser sammen.

ENGSTRAND *(ved peisestuedøren, sakte til Regine)*. Følg med meg, tøs! Du skal få leve som gull i et egg.

REGINE *(kaster på nakken)*. Merci! *(hun går ut i forstuen og henter pastorens reisetøy.)*

PASTOR MANDERS. Lev vel, fru Alving! Og gid ordenens og lovlighetens ånd rett snart må holde sitt inntog i denne bolig.

FRU ALVING. Farvel, Manders!

(Hun går opp imot blomsterværelset, idet hun ser Osvald komme inn gjennem havedøren.)

ENGSTRAND *(idet han og Regine hjelper pastoren yttertøyet på)*. Farvel, barnet mitt. Og skulle der komme noe på med deg, så vet du hvor Jakob Engstrand er å finne. *(sakte.)* Lille Havnegaten, hm –! *(til fru Alving og Osvald.)* Og huset for de veifarendes sjømennene, det skal kalles «Kammerherre Alvings hjem», det. Og får jeg styre det huset efter mine funderinger, så tør jeg love at det skal bli salig kammerherren verdig.

PASTOR MANDERS *(i døren)*. Hm – hm! Kom så, min kjære Engstrand. Farvel; farvel! *(han og Engstrand går ut gjennem forstuen.)*

OSVALD *(går henimot bordet)*. Hva var det for et hus han talte om?

FRU ALVING. Det er nok et slags asyl som han og pastor Manders vil opprette.

OSVALD. Det vil brenne opp liksom alt dette her.

FRU ALVING. Hvor faller du på det?

OSVALD. All ting vil brenne. Der blir ingenting tilbake som minner om far. Jeg går også her og brenner opp.

REGINE *(ser stussende på ham)*.

FRU ALVING. Osvald! Du skulle ikke blitt så lenge der nede, min stakkars gutt.

OSVALD *(setter seg ved bordet)*. Jeg tror nesten du har rett i det.

FRU ALVING. La meg tørre ditt ansikt, Osvald; du er ganske våt. *(hun tørrer ham med sitt lommetørkle.)*

OSVALD *(ser likegyldig frem for seg)*. Takk, mor.

FRU ALVING. Er du ikke trett, Osvald? Vil du kanskje sove?

OSVALD *(angst)*. Nei, nei, – ikke sove! Jeg sover aldri; jeg bare later så. *(tungt.)* Det kommer tidsnok.

FRU ALVING *(ser bekymret på ham)*. Jo, du er riktignok syk alli-kevel, min velsignede gutt.

REGINE *(spent)*. Er herr Alving syk?

OSVALD *(utålmodig)*. Og så lukk alle dørene! Denne dødelige angst –

FRU ALVING. Lukk, Regine.

(Regine lukker og blir stående ved forstuedøren. Fru Alving tar sitt tørkle av; Regine gjør det samme.)

FRU ALVING *(rykker en stol hen til Osvalds og setter seg hos ham)*. Se så; nu vil jeg sitte hos deg –

OSVALD. Ja, gjør det. Og Regine skal også bli inne. Regine skal alltid være om meg. Du gir meg nok håndsrekningen, Regine. Gjør du ikke det?

REGINE. Jeg forstår ikke –

FRU ALVING. Håndsrekningen?

OSVALD. Ja – når det behøves.

FRU ALVING. Osvald, har du ikke din mor til å gi deg en hånds-rekning.

OSVALD. Du? *(smiler.)* Nei, mor, den håndsrekningen gir du meg ikke. *(ler tungt.)* Du! Ha–ha! *(ser alvorlig på henne.)* Forres-ten var du jo nærmest til det. *(heftig.)* Hvorfor kan du ikke si du til meg, Regine? Hvorfor kaller du meg ikke Osvald?

REGINE *(sakte)*. Jeg tror ikke fruen ville like det.

FRU ALVING. Om litt skal du få lov til det. Og sett deg så her hos oss, du også.

REGINE *(setter seg stillferdig og nølende på den annen side av bordet)*.

FRU ALVING. Og nu, min stakkars forpinte gutt, nu skal jeg ta byrdene av ditt sinn –

OSVALD. Du, mor?

FRU ALVING. – alt det du kaller for nag og anger og bebreidel-ser –

OSVALD. Og det tror du du kan?

FRU ALVING. Ja, nu kan jeg det, Osvald. Du kom før til å tale om livsgleden; og da gikk der liksom et nytt lys opp for meg over alle tingene i hele mitt liv.

OSVALD *(ryster på hodet)*. Dette her forstår jeg ikke noe av.

FRU ALVING. Du skulle ha kjent din far da han var ganske ung løytnant. I *ham* var livsgleden oppe, du!

OSVALD. Ja, det vet jeg.

FRU ALVING. Det var som et søndagsvær bare å se på ham. Og så den ustyrtelige kraft og livsfylde som var i ham!

OSVALD. Og så –?

FRU ALVING. Og så måtte slikt et livsgledens barn, – for han *var* som et barn, den gang, – han måtte gå her hjemme i en halvstor by, som ingen glede hadde å by på, men bare fornøyelser. Måtte gå her uten å ha noe livsformål; han hadde bare et embede. Ikke øyne noe arbeide som han kunne kaste seg over med hele sitt sinn; – han hadde bare forretninger. Ikke eie en eneste kamerat som var mektig å føle hva livsglede er for noe; bare dagdrivere og svirebrødre –

OSVALD. Mor –!

FRU ALVING. Så kom det som det måtte komme.

OSVALD. Og hvorledes måtte det da komme?

FRU ALVING. Du sa selv før i aftes hvorledes det ville gå med deg om du ble hjemme.

OSVALD. Vil du dermed si at far –?

FRU ALVING. Din stakkars far fant aldri noe avløp for den overmektige livsglede som var i ham. Jeg brakte heller ikke søndagsvær inn i hans hjem.

OSVALD. Ikke du heller?

FRU ALVING. De hadde lært meg noe om plikter og slikt noe, som jeg har gått her og trodd på så lenge. All ting så munnet det ut i pliktene, – i *mine* plikter og i *hans* plikter og –. Jeg er redd jeg har gjort hjemmet uutholdelig for din stakkars far, Osvald.

OSVALD. Hvorfor har du aldri skrevet meg noe til om dette?

FRU ALVING. Jeg har aldri før sett det slik at jeg kunne røre ved det til deg som var hans sønn.

OSVALD. Og hvorledes så du det da?

FRU ALVING *(langsomt)*. Jeg så bare den ene tingen at din far var en nedbrutt mann før du ble født.

OSVALD *(dempet)*. Ah –! *(han reiser seg og går hen til vinduet.)*

FRU ALVING. Og så tenkte jeg dag ut og dag inn på den ene saken at Regine i grunnen hørte til her i huset – liksom min egen gutt.

OSVALD *(vender seg hurtig)*. Regine –!

REGINE *(farer i været og spør dempet)*. Jeg –!

FRU ALVING. Ja, nu vet I det begge to.

OSVALD. Regine!

REGINE *(hen for seg)*. Så mor var altså slik en.

FRU ALVING. Din mor var bra i mange stykker, Regine.

REGINE. Ja, men hun var altså slik en allikevel. Ja, jeg har nok tenkt det iblant; men –. Ja, frue, må jeg så få lov til å reise straks på timen?

FRU ALVING. Vil du virkelig det, Regine?

REGINE. Ja, det vil jeg da riktignok.

FRU ALVING. Du har naturligvis din vilje, men –

OSVALD *(går hen imot Regine)*. Reise nu? Her hører du jo til.

REGINE. Merci, herr Alving; – ja, nu får jeg vel si Osvald da. Men det var riktignok ikke på *den* måten jeg hadde ment det.

FRU ALVING. Regine, jeg har ikke vært åpenhjertig imot deg –

REGINE. Nei, det var så menn synd å si! Hadde jeg visst at Osvald var sykelig så –. Og så nu, da det ikke kan bli til noe alvorlig mellem oss –. Nei, jeg kan riktig ikke gå her ute på landet og slite meg opp for syke folk.

OSVALD. Ikke en gang for en som står deg så nær?

REGINE. Nei så menn om jeg kan. En fattig pike får nytte sin ungdom; for ellers kan en komme til å stå på en bar bakke før en vet av det. Og *jeg* har også livsglede i meg, frue!

FRU ALVING. Ja, dessverre; men kast deg bare ikke bort, Regine.

REGINE. Å, skjer det, så skal det vel så være. Slekter Osvald på sin far, så slekter vel jeg på min mor, kan jeg tenke. – Må jeg spørre fruen om pastor Manders vet beskjed om dette her med meg?

FRU ALVING. Pastor Manders vet alt sammen.

REGINE *(får travelt med sitt tørkle)*. Ja, så får jeg riktig se å komme av gårde med dampbåten så fort jeg kan. Pastoren er så snill å komme til rette med; og jeg synes da riktignok at jeg er like så nær til litt av de pengene som han – den fæle snekkeren.

FRU ALVING. De skal være deg vel unt, Regine.

REGINE *(ser stivt på henne)*. Fruen kunne gjerne ha oppdradd meg som en kondisjonert manns barn; for det hadde passet bedre for meg. *(kaster på nakken.)* Men skitt, – det kan være det samme! *(med et forbitret sideblikk til den korkede flaske.)* Jeg kan så menn ennu komme til å drikke champagne med kondisjonerte folk, jeg.

FRU ALVING. Og trenger du til et hjem, Regine, så kom til meg.

REGINE. Nei, mange takk, frue. Pastor Manders tar seg nok av meg, han. Og skulle det gå riktig galt, så vet jeg jo et hus hvor jeg hører hjemme.

FRU ALVING. Hvor er det?

REGINE. I kammerherre Alvings asyl.

FRU ALVING. Regine, – nu ser jeg det, – du går til grunne!

REGINE. Å pytt! Adieu. *(hun hilser og går ut gjennem forstuen.)*

OSVALD *(står ved vinduet og ser ut).* Gikk hun?

FRU ALVING. Ja.

OSVALD *(mumler hen for seg).* Jeg tror det var galt, dette her.

FRU ALVING *(går hen bak ham og legger hendene på hans skuldre).* Osvald, min kjære gutt, – har det rystet deg sterkt?

OSVALD *(vender ansiktet imot henne).* Alt dette om far, mener du?

FRU ALVING. Ja, om din ulykkelige far. Jeg er så redd det skal ha virket for sterkt på deg.

OSVALD. Hvor kan du falle på det? Det kom meg naturligvis høyst overraskende; men i grunnen kan det jo være meg ganske det samme.

FRU ALVING *(trekker hendene til seg).* Det samme! At din far var så grenseløs ulykkelig!

OSVALD. Naturligvis kan jeg føle deltagelse for *ham* som for enhver annen, men –

FRU ALVING. Ikke annerledes! For din egen far!

OSVALD *(utålmodig).* Ja, far – far. Jeg har jo aldri kjent noe til far. Jeg husker ikke annet om ham enn at han en gang fikk meg til å kaste opp.

FRU ALVING. Dette er forferdelig å tenke seg! Skulle ikke et barn føle kjærlighet for sin far allikevel!

OSVALD. Når et barn ikke har noe å takke sin far for? Aldri har kjent ham? Holder du virkelig fast ved den gamle overtro, du, som er så opplyst forresten?

FRU ALVING. Og det skulle bare være overtro –!

OSVALD. Ja, det kan du vel innse, mor. Det er en av disse meninger som er satt i omløp i verden og så –

FRU ALVING *(rystet)*. Gjengangere!

OSVALD *(går henover gulvet)*. Ja, du kan gjerne kalle dem gjengangere.

FRU ALVING *(i utbrudd)*. Osvald, – så elsker du heller ikke meg!

OSVALD. Deg kjenner jeg da iallfall –

FRU ALVING. Ja, kjenner; men er det alt!

OSVALD. Og jeg vet jo hvor meget du holder av meg; og det må jeg da være deg takknemlig for. Og du kan jo være meg så umåtelig nyttig nu da jeg er syk.

FRU ALVING. Ja, kan jeg ikke det, Osvald! Å, jeg kunne nesten velsigne din sykdom, som drev deg hjem til meg. For jeg ser det nok; jeg *har* deg ikke; du må vinnes.

OSVALD *(utålmodig)*. Ja, ja, ja; alt dette er nu sånne talemåter. Du må huske på jeg er et sykt menneske, mor. Jeg kan ikke beskjeftige meg så meget med andre; jeg har nok med å tenke på meg selv.

FRU ALVING *(lavmælt)*. Jeg skal være nøysom og tålmodig.

OSVALD. Og så glad, mor!

FRU ALVING. Ja, min kjære gutt, det har du rett i. *(går hen til ham.)* Har jeg nu tatt alle nag og bebreidelser fra deg?

OSVALD. Ja, det har du. Men hvem tar nu angsten?

FRU ALVING. Angsten?

OSVALD *(går henover gulvet)*. Regine hadde gjort det for et godt ord.

FRU ALVING. Jeg forstår det ikke. Hva er dette med angsten – og med Regine?

OSVALD. Er det meget sent på natten, mor?

FRU ALVING. Det er tidlig på morgenen. *(ser ut i blomsterværelset.)* Dagen begynner alt å gry oppe i høydene. Og så blir det klarvær, Osvald! Om litt skal du få se solen.

OSVALD. Det gleder jeg meg til. Å, der kan være mangt og meget for meg å glede meg ved og leve for –

FRU ALVING. Det skulle jeg vel tro!

OSVALD. Om jeg enn ikke kan arbeide, så –

FRU ALVING. Å, nu vil du snart kunne komme til å arbeide igjen, min kjære gutt. Nu har du jo ikke lenger alle disse nagende og trykkende tankene å gå og ruge over.

OSVALD. Nei, det var godt at du fikk veltet alle de innbilninger av meg. Og når jeg nu bare er kommet over dette ene – *(setter seg i sofaen.)* Nu vil vi snakke sammen, mor –

FRU ALVING. Ja, la oss det. *(hun skyver en lenestol hen til sofaen og setter seg tett ved ham.)*

OSVALD. – og så rinner solen imens. Og så vet du det. Og så har jeg ikke lenger denne angsten.

FRU ALVING. Hva er det jeg vet, sa du?

OSVALD *(uten å høre på henne).* Mor, var det ikke så du sa før i kveld at der ikke var den ting til i verden som du ikke ville gjøre for meg om jeg ba deg om det?

FRU ALVING. Jo, det sa jeg riktignok!

OSVALD. Og det står du ved, mor?

FRU ALVING. Det kan du lite på, du min kjære eneste gutt. Jeg lever jo ikke for noe annet enn bare for deg alene.

OSVALD. Ja, ja, så skal du da høre –. Du, mor, du har et sterkt kraftfullt sinn, det vet jeg. Nu skal du sitte ganske rolig når du får høre det.

FRU ALVING. Men hva er det da for noe forferdelig –!

OSVALD. Du skal ikke skrike opp. Hører du? Lover du meg det? Vi vil sitte og snakke ganske stille om det. Lover du meg det, mor?

FRU ALVING. Ja, ja, jeg lover deg det; men bare tal!

OSVALD. Ja, så skal du da vite at det med trettheten, – og det at jeg ikke tåler å tenke på arbeide, – alt det er ikke sykdommen selv –

FRU ALVING. Hva er da sykdommen selv?

OSVALD. Den sykdom jeg har fått som arvelodd, den – *(peker på pannen og tilføyer ganske sakte.)* den sitter her inne.

FRU ALVING *(nesten målløs).* Osvald! Nei – nei!

OSVALD. Ikke skrike. Jeg kan ikke tåle det. Jo, du, den sitter her inne og lurer. Og den kan bryte løs hva tid og time det skal være.

FRU ALVING. Å, hvilken redsel –!

OSVALD. Nu bare rolig. Slik står det til med meg –

FRU ALVING *(springer opp)*. Dette er ikke sant, Osvald! Det er umulig! Det kan ikke være så!

OSVALD. Jeg har hatt *ett* anfall der nede. Det gikk snart over. Men da jeg fikk vite hvorledes det hadde vært med meg, da kom angsten over meg så rasende og jagende; og så reiste jeg hjem til deg så fort jeg kunne.

FRU ALVING. Det er altså angsten –!

OSVALD. Ja, for dette er så ubeskrivelig avskyelig, ser du. Å, hadde det bare vært en alminnelig dødelig sykdom –. For jeg er ikke så bange for å dø; skjønt jeg jo gjerne vil leve så lenge jeg kan.

FRU ALVING. Ja, ja, Osvald, det må du!

OSVALD. Men dette er så forferdelig avskyelig. Å bli liksom forvandlet til et spedt barn igjen; å måtte mates, å måtte –. Å, – det er, ikke til å beskrive!

FRU ALVING. Barnet har sin mor til å pleie seg.

OSVALD *(springer opp)*. Nei, aldri; det er nettopp det jeg ikke vil! Jeg tåler ikke å tenke på at jeg kanskje skulle ligge slik i mange år, – bli gammel og grå. Og så kunne du kanskje dø fra meg imens. *(setter seg i fru Alvings stol.)* For det behøver ikke å ende dødelig straks, sa lægen. Han kalte det et slags bløthet i hjernen – eller noe slikt. *(smiler tungt.)* Jeg synes det uttrykk høres så smukt. Jeg kommer alltid til å tenke på kirsebærrøde silkefløyels draperier, – noe som er delikat å stryke nedad.

FRU ALVING *(skriker)*. Osvald!

OSVALD *(springer opp igjen og går henover gulvet)*. Og nu har du tatt Regine fra meg! Hadde jeg bare hatt henne. Hun hadde nok gitt meg håndsrekningen, hun.

FRU ALVING *(går hen til ham)*. Hva mener du med det, min elskede gutt? Er der da noen håndsrekning i verden som ikke jeg skulle ville gi deg?

OSVALD. Da jeg var kommet meg efter anfallet der nede, så sa lægen meg det, at når det kommer igjen, – og det kommer igjen, – så er der ikke noe håp mer.

FRU ALVING. Og det var han hjerteløs nok til å –

OSVALD. Jeg forlangte det av ham. Jeg sa ham at jeg hadde forføyninger å treffe –. *(smiler listig.)* Og det hadde jeg også. *(trekker en liten eske opp av den indre brystlomme.)* Mor, ser du denne her?

FRU ALVING. Hva er det for noe?

OSVALD. Morfinpulver.

FRU ALVING *(ser forferdet på ham)*. Osvald, – min gutt?

OSVALD. Jeg har fått tolv kapsler sparet sammen –

FRU ALVING *(griper)*. Gi meg esken, Osvald!

OSVALD. Ikke ennu, mor. *(han gjemmer esken igjen i lommen.)*

FRU ALVING. Dette overlever jeg ikke!

OSVALD. Det må overleves. Hadde jeg nu hatt Regine her, så hadde jeg sagt henne hvorledes det sto til med meg – og bedt henne om den siste håndsrekning. Hun hadde hjulpet meg; det er jeg viss på.

FRU ALVING. Aldri!

OSVALD. Når det forferdelige var kommet over meg, og hun så meg ligge der hjelpeløs som et lite spebarn, uhjelpelig, fortapt, håpløs, – ingen redning mer –

FRU ALVING. Aldri i verden hadde Regine gjort dette!

OSVALD. Regine hadde gjort det. Regine var så prektig letthjertet. Og hun var snart blitt kjed av å passe en slik syk som jeg.

FRU ALVING. Da lov og pris at ikke Regine er her!

OSVALD. Ja, nu får altså du gi meg håndsrekningen, mor.

FRU ALVING *(skriker høyt)*. Jeg!

OSVALD. Hvem er nærmere til det enn du?

FRU ALVING. Jeg! Din mor!

OSVALD. Just derfor.

FRU ALVING. Jeg, som har gitt deg livet!

OSVALD. Jeg har ikke bedt deg om livet. Og hva er det for et slags liv du har gitt meg? Jeg vil ikke ha det. Du skal ta det igjen!

FRU ALVING. Hjelp! Hjelp! *(hun løper ut i forstuen.)*

OSVALD *(efter henne)*. Gå ikke fra meg! Hvor vil du hen?

FRU ALVING *(i forstuen)*. Hente lægen til deg, Osvald! La meg komme ut!

OSVALD *(sammesteds)*. Du kommer ikke ut. Og her kommer ingen inn. *(en nøkkel dreies om.)*

FRU ALVING *(kommer inn igjen)*. Osvald! Osvald, – – mitt barn!

OSVALD *(følger henne)*. Har du en mors hjerte for meg, – du, som kan se meg lide all denne unevnelige angst!

FRU ALVING *(efter et øyeblikks stillhet, sier behersket)*: Her er min hånd på det.

OSVALD. Vil du –?

FRU ALVING. Om det blir nødvendig. Men det *blir* ikke nødvendig. Nei, nei, det er aldri mulig!

OSVALD. Ja, la oss håpe på det. Og la oss så leve sammen så lenge vi kan. Takk, mor.

(Han setter seg i den lenestol som fru Alving har flyttet hen til sofaen. Dagen bryter frem; lampen blir ved å brenne på bordet.)

FRU ALVING *(nærmer seg varsomt)*. Føler du deg nu rolig?

OSVALD. Ja.

FRU ALVING *(bøyet over ham)*. Det har vært en forferdelig innbilning hos deg, Osvald. Alt sammen innbilning. Du har ikke tålt alt dette opprivende. Men nu skal du få hvile ut. Hjemme hos din egen mor, du min velsignede gutt. Alt hva du peker på skal du få som den gang du var et lite barn. – Se så. Nu er anfallet over. Ser du hvor lett det gikk! Å, det visste jeg nok. – Og ser du, Osvald, hvilken deilig dag vi får? Skinnende solvær. Nu kan du riktig få se hjemmet.

(Hun går hen til bordet, og slukker lampen. Soloppgang. Breen og tindene i bakgrunnen ligger i skinnende morgenlys.)

OSVALD *(sitter i lenestolen med ryggen mot bakgrunnen, uten å røre seg; plutselig sier han)*: Mor, gi meg solen.

FRU ALVING *(ved bordet, ser stussende på ham)*. Hva sier du?

OSVALD *(gjentar dumpt og tonløst)*. Solen. Solen.

FRU ALVING *(hen til ham)*. Osvald, hvorledes er det med deg?

OSVALD *(synes å skrumpe sammen i stolen; alle musklene slappes; hans ansikt er uttrykksløst; øynene stirrer sløvt frem)*.

FRU ALVING *(dirrende av redsel)*. Hva er dette? *(skriker høyt.)* Osvald! Hvorledes har du det! *(kaster seg på kne ned ved ham og rusker i ham.)* Osvald! Osvald! Se på meg! Kjenner du meg ikke?

OSVALD *(tonløst som før)*. Solen. – Solen.

FRU ALVING *(springer fortvilet opp, river med begge hender i sitt hår og skriker)*: Dette bæres ikke! *(hvisker liksom stivnet.)* Dette bæres ikke! Aldri! *(plutselig.)* Hvor har han dem henne?

(famler pilsnart over hans bryst.) Her! *(viker et par skritt tilbake og skriker:)* Nei; nei; nei! – Jo! Nei; nei!
(Hun står et par skritt fra ham, med hendene innfiltret i håret, og stirrer på ham i målløs redsel.)

OSVALD *(sitter ubevegelig som før og sier)*:

Solen. – Solen.

ETTERORD

av Tore Rem

Man får ikke Nobelprisen for å skrive *Gengangere*. I alle fall fikk man den ikke for slikt i Ibsens levetid. Med dette skuespillet gikk den allerede verdensberømte dramatikeren lenger enn han før hadde gjort. Han trampet rett inn i sitt samfunns aller helligste. Og når leseren hadde fulgt stykkets skikkelser gjennom tekstens tåke, regn og mørke, var det kun for å se de «lysrædde» bli konfrontert med en ubarmhjertig sol. Ibsen maktet å skape et stykke med stor destruktiv kraft. I møte med en tekst som for lengst har fått klassikerens verdighet, er det lett å glemme at *Gengangere* bør regnes blant vår litteraturs sataniske vers.

Nobelprisen er blitt en av litteraturens mest effektive kanoniseringsmaskiner, men den skulle aldri bli anvendt på Ibsen. I Alfred Nobels testamente het det at litteraturprisen skulle gå til «den som inom litteraturen har producerat det utmärktaste i idealisk rigtning». Og i de første tiår av prisens liv la Svenska Akademien stor vekt på Nobels siste vilje, og sin egen konservative tolkning av den samme. Ibsens mest notoriske stykke hadde knapt nok ideell retning. Da Ibsens navn kom på tale i 1902, la Svenska Akademiens vurdering derfor vekt på hans «negativitet och gåtfullhet». Ibsen hadde ganske enkelt gjort opprør mot de normer Nobelkomiteen regnet som sine egne.

Allerede da *Gengangere* utkom i 1881, synes Ibsen likevel å ha vært trygg på at framtida tilhørte ham – og hans nye stykke. Til den danske kritikeren Georg Brandes skrev han at «minoriteten har alltid rett», en frase som skulle dukke opp igjen i hans neste skuespill, *En folkefiende*. Og til sin danske forlegger, Gyldendals Frederik V. Hegel, erklærte han at «Min bog ejer fremtiden for sig. Hine karle, som har brølet over den, har ikke engang forhold til deres egen virkelig levende samtid». Kritikerne, forsikret han sin forlegger om, ville få «en knusende dom over sig i fremtidens litteraturhistorie».

Ibsen var på lag med framtida. Han så seg selv som «åndelig for-postfægter». Vi er for lengst blitt vant med en slik tanke om forfat-teren og hans verk. Men nettopp derfor kan det være grunn til å stoppe opp for å stille noen spørsmål. Som, for eksempel, om hvil-ken særskilt framtid Ibsen hadde i tankene? Og om hva som skjer med en som legger slik vekt på å være foran, på å unnslippe sin egen samtid, når frontlinjene for lengst er kommet enda lenger fram, når den tidligere forpostfekteren selv sakker akterut? Heller enn uten videre å godkjenne Ibsens selvangivelse, kan det være greit å begynne med å plassere Ibsen og hans tekst i hans egen sam-tid.

Ibsen skulle aldri bli mer avantgarde enn i *Gengangere*. I alle fall hvis vi tenker på hans egen forståelse av forpostfektning. Etter den første negative mottakelsen forhørte den bekymrede forfatter seg med Hegel, for å høre om «al denne allarm» hadde skadet boksal-get. Og til en svensk korrespondent fortalte Ibsen at han ikke turde gå lenger enn han hadde gjort med *Gengangere*: «En digter tør ikke fjerne sig så langt fra sit folk at der ikke længere blir nogen forstå-else.» Et minimum samtid, i tillegg til framtid, med andre ord.

Til tross for at Amalie Skram i sin anmeldelse av *Gengangere* plasserte Ibsen på en annen klode, mente også hun at stykket an-gikk sin samtid: «Dette kan vi ikke skyve fra os; thi vi ved, at det er taget ud af vor egen tid.» Simpelthen ved stykkets åpne tematise-ring av spørsmål om syfilis, arvelighet, samboerskap, incestuøse forhold, fritenkeri, ved å sette falne kvinner på linje med falne menn, og ved å stille spørsmål ved familie, foreldreautoritet og re-ligion, erklærte Ibsen på samme tid tilhørighet og avstandstagen.

Samtidig bar dette kanskje aller strammest komponerte av alle Ibsens skuespill også på en formmessig radikalitet. *Gengangere* brøt med 1800-tallsteatrets overveiende fokus på det spektakulære, på spenning og handling. Her er det lite action og mye prat. Sakte, hensynsløst, med utpreget sans for konsekvens, avdekker Ibsen fortida, for slik, blant annet, å studere og forklare personenes ut-vikling, samt motivene for deres handlinger og ytringer. I samtidskritikken var denne retrospektive teknikken så påfallende at man gikk tilbake til antikkens drama, og særlig Sofokles' *Kong Ødipus*, for å finne paralleller. Denne sammenligningen fanget en kvalitet ved Ibsens dramaturgi, samtidig som den effektivt plasserte en radikal forfatter i selskap med klassikerne. Ibsen skapte et skjebnedrama for en ny tid, et hvor biologi og psykologi har tatt gudenes plass.

Med få unntak – og da i første rekke Georg Brandes, Bjørnstjerne Bjørnson og Amalie Skram (som skrev i *Dagbladet* under pseudonymet «ie.», og da het Amalie Müller) – ble *Gengangere* møtt med en fordømmelse som savnet sidestykke i skandinavisk kritikkhistorie. Og ingen av de tre skandinaviske hovedteatrene ville ta i stykket. I sin konsulentuttalelse til Christiania Theater, beklaget kritikeren Henrik Jæger at den sunne dramatiske virkning her var byttet ut med «pathologiske Pirringsmidler», og foreslo at man like gjerne kunne åpne «Rigshospitalet mod en passende entré». Og da Stortinget året etter behandlet en søknad fra Ibsen om forhøyet diktergasje, uttrykte en representant sin tilfredshet med at bøker som *Gengangere* kom ut i Danmark og ikke i Norge: «Jeg siger, det er glædeligt, at de har et fremmed lands bomærke, og jeg føier til, at saadanne bøger har ikke hjemstavn her.»

I utgiverlandet gikk det ikke bedre. Sensor ved Det Kongelige Theater, Ibsens skandinaviske hovedscene, avviste *Gengangere* som et skuespill som gjorde «et modbydeligt pathologisk Fænomen til Handlingens Hovedmotiv» og hadde et «overmaal af nedbrydningstendens». Som en følge, ble stykket holdt ute av Det Kongelige Theaters repertoar helt fram til 1903. Om vi unntar en oppsetning blant skandinaver i Chicago og noen andre byer i Midtvesten i 1882, var det svensken August Lindberg som først ga *Gengangere* en sjanse på scenen. I 1883 fikk alle de nordiske hovedstedene besøk av denne oppsetningen. Og senere på 1880-tallet kom så tyskerne til, med Hertugen av Meiningens teater og Berlins Freie Bühne, og deretter franskmennene, med parisernes Théâtre Libre.

Gengangere ble altså raskt et internasjonalt, eller i alle fall europeisk, fenomen. Og dette fenomenet ble ikke bare omdiskutert; det ble utsatt for sensur. Dette skjedde i en tid hvor teatret ofte var strengt regulert, med en lokal eller statlig sensor som hadde ansvar for å tillate eller nekte oppføring. De voldsomme reaksjonene *Gengangere* framprovoserte i sin samtid, kan kanskje best illustreres gjennom stykkets møte med den engelskspråklige verden, ved dets mottakelse i Storbritannia. Der skjedde førsteoppførelsen først ti år etter at skuespillet hadde blitt publisert i København.

Den anglo-hollandske teatermannen J.M. Grein hadde en stund hatt ambisjoner om å starte en alternativ scene for ny og eksperimentell dramatikk i London. I 1891 var han klar med sitt Independent Theatre, og syntes Ibsens *Gengangere* kunne være et passende åpningsstykke. På uformelt vis fikk han imidlertid klar beskjed fra teatersensoren: «Kom ikke til meg med Ibsen.» Løsningen ble å finne et smutthull i sensurlovgivningen, gjennom at teatret ble organisert som en privat klubb. Og den 13. mars 1891 hadde dette uavhengige teatret sin premiere på *Ghosts*. Den påfølgende oppmerksomheten ser ut til å ha oversteget teaterdirektørens største forventninger.

Tidas ledende konservative kritiker, Clement Scott i *The Daily Telegraph*, kalte oppsetningen «en åpen kloakk; et fryktelig, ubandasjert sår; en skitten handling utført offentlig; et spedalsksykehus med alle dører og vinduer på vidt gap». Og han avsluttet sin anmeldelse med en appell om at den offentlige mening, om nødvendig hjulpet av loven, måtte sørge for at slikt ble holdt unna ærlige og sunne samfunnsborgere. En horde kritikere konkurrerte i lignende skjellsord, og i en tid framover ble Ibsen den mest omtalte forfatteren i Storbritannia. Bare i 1891, dette ene av de store Ibsen-årene i England, ble det skrevet mange hundre artikler og notiser om Ibsen i britisk presse. *Ghosts* ble et nasjonalt politisk anliggende, hvor teatersensoren hadde tett kontakt med Innenriksministeriet, og hvor det ble truet med å gjøre oppsetningen til en sak i Underhuset. Så støtende virket denne skandinaviske importen, at det først var i 1914, 33 år etter at *Gengangere* utkom, at teatersensoren ga lisens slik at det kunne oppføres offentlig på en britisk scene.

«Boka som blir undertrykt, får mer oppmerksomhet som spø-
kelse enn den ville hatt i live; forfatteren som blir kneblet i dag, er
berømt i morgen for å ha blitt kneblet.» Det skriver den sørafri-
kanske forfatteren J.M. Coetzee, en mann som selv har hatt mye av
sitt virke innenfor et sensurregime. Og forresten er hans ord for
«spøkelse» identisk med det som har gitt engelsk tittel til *Gengan-
gere*, ghost. I tråd med Coetzees resonnement mente faktisk en av
sensorens konsulenter, da stykket endelig ble gitt lisens i Storbri-
tannia, at det alt ville vært dødt, hvis det hadde blitt tillatt vist 20 år
tidligere. Selv om *Gengangere*s sensurhistorie ikke kan gi hele for-
klaringen på stykkets stilling i ettertida, kan den mer enn noe annet
antyde hvilken provokasjonskraft det en gang hadde.

I litteraturfaglig sammenheng, og i litteraturformidlernes festtaler,
er det vanlig å snakke om hvordan all stor litteratur preges av en
fremmedhet, av en kvalitet som stadig unnslipper oss, og som
gjerne forbindes med det estetiske. Men kanskje bør vi av og til snu
dette resonnementet på hodet? Mon tro om det ikke er slik at den
litteraturen vi kaller stor, den som har fått hedersplass i vår vestlige
kanon og blitt forbundet med estetiske kvaliteter, nettopp kan stå i
fare for å miste noe av sin fremmedhet? Hva skjer altså med en
tekst som gis klassikerens verdighet og leses deretter?

Klassikere er, per definisjon, gjengangere. De er tekster som har
vist seg å kunne gå igjen i nye sammenhenger, til nye tider. Men de
kan også, gjennom sin stadige tilstedeværelse, for lengst ha sluttet
å utfordre oss og våre verdier. Snarere kan de ha fått en entydig be-
kreftende rolle overfor alt vi har kjært, er stolte av, identifiserer oss
med. Slik er de blitt en litteratur som er blitt temmet av kulturen.
Ingen norsk forfatter har vel i like stor grad blitt utsatt for dette som
Ibsen.

Kanoniseringen av visse tekster kan med andre ord ha en harmo-
niserende funksjon, den kan føre til at vi behandler svært ulike
tekster mer likt enn de fortjener. Vi legger vekt på deres universelle
verdier, vi gir dem det som for oss er «idealisk rigtning», og der-
med en oppbyggelig funksjon i våre teatre, skoler og universiteter,
og gjerne også i vår nasjonale mytologi. Hva gjelder *Gengangere*,

kan vi kanskje snakke om at stykket har fungert som dokumenta-
sjon på en historisk sett progressiv bevegelse, og som et vitnesbyrd
om en forfatter som viste oss veien til oss selv. Slik kan vi, hvis vi
nå skal fortsette å lese motstrøms, se *Gengangere* som en feiring av
oss selv som historiens seierherrer.

Men hvor blir det da av de dimensjoner ved dette stykket som
virkelig skulle utfordre oss i dag, som skulle rokke ved det vi finner
naturlig, ved vår store tilfredshet over eget ståsted? Hvor mye er
det altså igjen av den kraften *Gengangere* hadde i sin samtid?

«Ibsen er stadig like aktuell.» Slik lyder en av lysfontenene blant
klisjeene i norsk litteratur. Men sannsynligheten for at Ibsen er
akkurat «like aktuell» i dag som i 1881, er neppe stor. Hvis han er
«aktuell», må det antagelig være på nye måter. Hva er det forresten
å være «aktuell»? Og hvordan skiller denne aktualiteten seg fra det
simpelthen å ha fått status som «klassiker»?

Kanskje kan det være fruktbart å nærme seg Ibsen som vår
usamtidige? Det er jo mulig, i pakt med gjengangertemaet, å tenke
seg at mangt som er usamtidig, allikevel kan angå oss. Kanskje kan
Ibsen bli mer aktuell ved å vris ut av selvfølgelighetens klamme
favntak? Kanskje kan vi endatil driste oss til å spørre om hva som
skal til for at *Gengangere* igjen skal bli erklært hjemløst?

Kan vi klare å tenke oss en avkanonisering av *Gengangere*, for å
finne tilbake til noe av den fremmedhet og de radikale kvaliteter
som en gang gjorde dette stykket til offer for sensur og fortielse,
som en gang gjorde at det virket så nedbrytende? Den tyske littera-
turforskeren Hans Robert Jauss peker på en mulighet for at noe
slikt skal kunne skje. Det gjør han ved å oppfordre oss til å være
bevisste både vår egen og tekstens historiske forankring. Kanskje
er det i trafikken mellom fortidas og nåtidas forventningshorison-
ter, i et forsøk på å unngå både en naiv aktualisering og en rigid
historisering, at de mest fruktbare fortolkningene kan oppstå? For
at så skal skje, må vi lete etter møtepunkter med tekstens frem-
mede så vel som dens tilsynelatende kjente trekk.

Det kan synes som om en rekke aspekter ved *Gengangere*s
handling, tematikk og form fremdeles bærer på muligheter til å ak-

tualiseres. Oppgaven med å bestemme hva og hvordan, ligger hos hver nye leser av denne snart 125 år gamle teksten. Kanskje er *Gengangere*s mest varige dimensjon likevel dens grunnleggende tematisering av fortidas tilstedeværelse i nåtida. For å komme videre, kan det derfor være viktig å holde liv i kaptein Alvings minne.

BIOGRAFISK KRONOLOGI

Henrik Ibsen (1828–1906)

1828   Født 20. mars i Skien.

1835   Faren må innstille forretningene. Eiendommene under auksjon. Familien flytter til gården Venstøp i Gjerpen.

1843   Konfirmant i Gjerpen kirke. Kommer til Grimstad 29. november for å bli læregutt på apoteket hos J.A. Reimann. Familien flytter til Snipetorp i Skien.

1846   Får barn utenfor ekteskap.

1849   Fullfører *Catilina*.

1850   Reiser til Christiania. *Catilina* kommer ut under psevdonymet Brynjulf Bjarme. Tar studenteksamen som han består mot å måtte gå opp til ny eksamensprøve i gresk og matematikk (noe han ikke gjør). Redigerer det satiriske ukebladet «Andhrimer». Verdens første Ibsen-premiere: enakteren *Kjæmpehøien* blir uroppført på Christiania Theater i Oslo 26. september.

1851   Møter Ole Bull som knytter ham til sitt teater i Bergen.

1852   Begynner som sceneinstruktør ved Det Norske Teater i Bergen. På stipendtur til København og Dresden for å studere teaterforhold. Forplikter seg til å skrive et skuespill hvert år til teatrets stiftelsesdag 2. januar.

1853 Premiere 2. januar: *Sancthansnatten* – en eventyrkomedie som Ibsen senere ikke vedkjenner seg.

1854 Premiere 2. januar: *Kjæmpehøien* – noe omarbeidet fra 1850-versjonen.

1855 Premiere 2. januar: *Fru Inger til Østraat.*

1856 Premiere 2. januar: *Gildet på Solhaug.* Blir forlovet med Suzannah Thoresen.

1857 Premiere 2. januar: *Olaf Liljekrans.* Skriver dessuten *Hærmændene på Helgeland* (uroppført på Christiana Teater i Oslo 24. november 1858). Ansatt som kunstnerisk direktør ved Christiania Norske Teater.

1858 Gift med Suzannah Thoresen.

1859 Diktet «På viddene», diktsyklusen «I Billedgalleriet». Sønnen Sigurd blir født.

1860 «Svanhild» – et utkast til *Kjærlighedens komedie.*

1861 *Terje Vigen.*

1862 Christiania Norsk Teater går fallitt. Stipendietur til Vestlandet for å samle folkeminne. Utgir *Kjærlighedens Komedie* (uroppført på Christiania Theater i Oslo 24. november 1873). Konsulent ved Christiania Theater.

1863 Utgir *Kongs-emnerne* (uroppført på Christiania Theater i Christiania 17. januar 1864). Diktet «En bror i nød».

1864 Reiser via København, Berlin, Wien og Trieste til Venezia. Drar etter seks uker videre til Roma, hvor han blir boende i fire år. Tilbringer sommeren i Genzano.

1865 Skriver den episke *Brand*, begynnelsen til et langt fortellende dikt. Legger det bort og går over til dramatisk form under sommeroppholdet i Ariccia, og fullfører der dramaet *Brand* (uroppført på Nya Teatern i Stockholm 24. mars 1885 – fjerde akt oppført på Christiania Theater 26. juni 1867).

1866 *Brand* utgis. Stort gjennombrudd. Kunstnerlønn. Markert bedring i familiens livsforhold.

1867 Skriver de tre første aktene av *Peer Gynt* på Ischia, de to siste i Sorrento (uroppført på Christiania Theater 24. februar 1876).

1868 Besøker om våren Firenze og Venezia og slår seg ned i Berchtesgaden i Bayern. Flytter i oktober til Dresden, hvor familien blir boende i syv år.

1869 *De unges forbund* (uroppført på Christiania Theater i Christiania 18. oktober 1869). Deltar på nordisk rettskrivningsmøte i Stockholm. Reiser via Paris til Egypt som utsending for Sverige-Norge ved åpningen av Suez-kanalen.

1870 Diktet «Ballongbrev til en svensk dame» – med filosoferinger over Egypt og den fransk-tyske krig.

1871 Utgir sin første og eneste diktsamling, *Digte*.

1872 Skriver store deler av *Kejser og Galilæer*. Sommer i Berchtesgaden.

1873 Fullfører *Kejser og Galilæer* (uroppført på Stadttheater i Leipzig 5. desember 1896). Tilbringer sommeren i Wien som medlem av juryen for kunstavdelingen på verdensutstillingen.

1874 To og en halv måneds besøk til Oslo med avstikker til Stockholm.

1875 Flytter til München hvor han blir boende i tre år.

1876 Arbeider med å finne frem til en moderne, realistisk trage-diediktning.

1877 *Samfundets støtter* (uroppført på Den Kongelige Teater i København 18. november 1877). Utnevnes til æresdoktor ved Universitetet i Uppsala.

1878 Reiser tilbake til Roma, hvor han med enkelte avbrudd blir boende i syv år.

1879 Fullfører *Et dukkehjem* i Amalfi (uroppført på Det Konge-lige Teater i København 21. desember 1879).

1880 Tilbringer sommeren i Berchtesgaden.

1881 Skriver *Gengangere* utover sommeren og høsten i Sorrento (uroppført på Aurora Turner Hall-teatret i Chicago 20. mai 1882).

1882 Skriver *En folkefiende* i Roma (uroppført på Christiania Theater i Kristiania 13. januar 1883). Sommer i Gossenass i Tyrol.

1883 Utgir *Gildet på Solhaug* i ny utgave med forord om litterær påvirkning. Sommer i Gossenass.

1884 Påbegynner *Vildanden* i Roma, fullfører det sommeren i Gossenass (uroppført på den nasjonale scene i Bergen 17. januar 1887).

1885 Nytt norgesbesøk: Oslo, Trondheim, Molde, Bergen, Oslo – og København. Flytter til München, hvor han blir boende i de neste seks årene.

1886 Skriver *Rosmersholm* i München (uroppført på Den Nationale Scene i Bergen 17. januar 1887).

1887 Sommer i Sæby på Jyllands østkyst. Reiser siden til Göteborg, Stockholm og København.

1888 Skriver *Fruen fra havet* i München (uroppført på Christiania Theater i Kristiania 12. februar 1889).

1889 Siste sommer i Gossenass. Blir kjent med Emilie Bardach.

1890 Skriver *Hedda Gabler* i München (uroppført på Christiania Theater i Kristiania 26. februar 1891).

1891 Drar fra Tyskland til Norge. Reiser senere aldri lenger enn til Sverige og Danmark. Drar til Nordkapp, og slår seg så ned i en leilighet på Victoria Terrasse i Kristiania. Møter den 27 år gamle Hildur Andersen.

1892 Skriver *Bygmester Solness* i Kristiania (uroppført på Lessingtheater i Berlin 19. januar 1893). Sigurd Ibsen gifter seg med Bergliot Bjørnson.

1893 Ibsens første barnebarn, Tancred Ibsen, født.

1894 Skriver *Lille Eyolf* i Kristiania (uroppført på Deutsches Theater i Berlin 12. januar 1895).

1895 Flytter inn i nytt hus på hjørnet av Drammensveien og Arbiensgate, hvor han blir boende til sin død.

1896   Skriver *John Gabriel Borkman* i Kristiania (uroppført samtidig på Det svenske teater og Det finske teater i Helsingfors 10. januar 1897).

1898   Feires som 70-åring.

1899   Skriver *Når vi døde vågner* i Kristiania (uroppført på Hofftheater i Stuttgart 26. januar 1900).

1900   Rammes av slag første gang.

1906   Dør 23. mai.

GYLDENDAL KLASSIKER
Hittil utkommet i serien:

Hvis du ønsker å kjøpe flere bøker i serien,
kan du ringe 815 22 855